켄트 벡의
Tidy First?

KB092310

O'REILLY® 한빛미디어 Hanbit Media, Inc.

작은 일도 무시하지 않고 최선을 다해야 한다. 작은 일에도 최선을 다하면 정성스럽게 된다. 정성스럽게 되면 겉에 배어 나오고, 겉에 배어 나오면 겉으로 드러나고, 겉으로 드러나면 이내 밝아지고, 밝아지면 남을 감동시키고, 남을 감동시키면 이내 변하게 되고, 변하면 생육된다. 그러니 오직 세상에서 지극히 정성을 다하는 사람만이 나와 세상을 변하게 할 수 있는 것이다.

　　　　　　　　　　　　　　　　　　　－ 상책의 대사(정재영 역, 〈역린〉, 2014)

켄트 벡의 이 책은 원래 100페이지가 안 된다. 그는 소프트웨어 설계의 핵심을 일상적이고 평범한 언어로 풀어내고자, 소프트웨어 설계에 대한 일종의 하이쿠 모음집을 쓰고 싶었던 것 같다. 거추장스러운 것들을 다 걷어내면 무엇이 남을까? 그것은 제목에서부터 드러난다. 더 거창한 방법론을 제시하지 않고 '깨끗하다'는 말을 붙였다. 상선약수.

발레 훈련에서는 동작을 보여주고 의미 있는 동작이 나올 때마다 버튼을 눌러서 구획을 하게 한다. 전문성이 뛰어난 무용수일수록 더 잘게 자를 수 있다. 전문가의 실천을 연구한 도날드 쇤 박사는 행동 후의 반성reflection on action과 행동 중의 반성reflection in action을 구분한다. 많은 사람이 전자는 신경을 쓰지만, 후자는 놓치곤 한다. 전문가들일수록 행동하는 중에 반성이 잘 일어난다. 그만큼 잘게 쪼갠다는 이야기이다. 작은 것이 중요하다.

디자인 패턴이나 리팩터링의 약점은 그런 것이다. 거대하게 느껴진다는 것. 내가 25년째 소프트웨어 엔지니어들을 코칭하면서 느끼는 게 하나 있다. 그 사람의 행동계획을 들으면 그게 잘될지 안될지 많은 경우 감이 온다는 것. 예를 들어, 그가

"이번에 X라는 언어를 공부하려고 해요"라고 행동계획을 말했다고 치자. 나는 그럼 이렇게 묻는다. "X라는 언어를 쓰는 일이 얼마나 자주 있는 일입니까?" 1년에 한두 번이라고 답한다. 그러면 나는 안다. 이 사람은 절대 X라는 언어를 제대로 공부하기 어렵다는 거를. 훨씬 더 빈번해야 한다. 일주일에, 하루에 몇 번, 심지어 한 시간에 몇 번씩. 안 그러면 시작부터 불리한 게임을 하는 거다.

마찬가지로 소프트웨어 설계를 정말 잘하고 싶다면 하루에 여러 번 설계 고민을 하고 실천을 해 봐야 한다. 이 책이 그 길로 가는 데 도움이 될 거라고 생각한다. 하지만 에드워드 요던과 래리 콘스탄틴의 말을 빌리고 싶다. 이 책에서 읽은 어떤 말도 믿지 마시고, 제 말도 믿지 마세요. 오로지 여러분의 생각과 실천으로 하루하루 정성을 다하시며 나아가시길!

애자일 컨설팅 대표 김창준

코드는 개발자 생각의 반영입니다. 코드가 논리적으로 흘러가는 방식은 개발자의 머릿속에서 일어난 생각을 그대로 드러내는 법이죠. 그래서 자기가 원하는 알고리즘을 정확히 이해한 개발자는 대체로 읽기 쉬운 코드를 작성하고, 그렇지 않은 개발자는 읽기 어려운 코드를 작성합니다. 하지만 알고리즘의 이해가 전부는 아닙니다. 의미가 잘 전달되는 코드를 작성하려면 코드의 겉모습도 신경 써야 합니다. 알고리즘이 코드의 내용이면, 코드의 겉모습은 곧 형식입니다.

이 책은 그런 형식에 대한 책입니다. 리팩터링, 유닛테스트, 테스트 주도 개발, 익스트림 프로그래밍 등으로 유명한 소프트웨어 개발 세계의 큰 형님, 켄트 벡은 이 책을 통해 코드를 형식적인 측면에서 깔끔하게 작성하는 방법을 알려줍니다. 코드를 읽기 좋게 정리하는 작은 방법을, 이 책은 코드 정리 혹은 코드 정리법이라고 부릅니다. 이것은 아주 작은 수준의 리팩터링이라 보아도 무방한데, 코딩을 업으로 삼은 사람이면 반드시 읽고 기억할 필요가 있는 내용이며, 더 나아가 기억에 그치지 말고 습관으로 삼아야 할 것입니다.

책은 매우 읽기 쉽습니다. 내용 자체도 어렵지 않지만, 켄트 벡의 글이 (그의 코드도 그렇지만) 군더더기가 없기 때문일 것입니다. 역자인 안영회 님의 번역도 훌륭한데, 특히 역자가 켄트 벡 저자와 나눈 대화가 정리되어 있는 게 상당히 재밌습니다. 대화 내용을 읽다 보면 저자는 물론 역자의 진정성도 함께 느껴집니다. 코딩을 시작한 지 얼마 되지 않은 주니어 개발자라면 큰 도움이 될 것이고, 자기 스타일이 어느 정도 형성된 고참 개발자라도 읽고 참고할 만한 내용이 많을 것입니다. 일독을 권합니다.

한빛출판네트워크 한빛앤 대표이사 **임백준**

켄트 벡의
Tidy First?

켄트 벡의 Tidy First?

더 나은 소프트웨어 설계를 위한 32가지 코드 정리법

초판 1쇄 발행 2024년 4월 19일
초판 2쇄 발행 2024년 5월 3일

지은이 켄트 벡 / **옮긴이** 안영회 / **펴낸이** 전태호
펴낸곳 한빛미디어(주) / **주소** 서울시 서대문구 연희로2길 62 한빛미디어(주) IT출판2부
전화 02-325-5544 / **팩스** 02-336-7124
등록 1999년 6월 24일 제25100-2017-000058호
ISBN 979-11-6921-202-1   94000 / 979-11-6921-242-7(세트)

총괄 송경석 / **책임편집** 박민아 / **기획 · 편집** 김종찬
디자인 이아란 / **전산편집** 백지선
영업 김형진, 장경환, 조유미 / **마케팅** 박상용, 한종진, 이행은, 김선아, 고광일, 성화정, 김한솔 / **제작** 박성우, 김정우

이 책에 대한 의견이나 오탈자 및 잘못된 내용은 출판사 홈페이지나 아래 이메일로 알려주십시오.
파본은 구매처에서 교환하실 수 있습니다. 책값은 뒤표지에 표시되어 있습니다.
한빛미디어 홈페이지 www.hanbit.co.kr / **이메일** ask@hanbit.co.kr

지금 하지 않으면 할 수 없는 일이 있습니다.
책으로 펴내고 싶은 아이디어나 원고를 메일(**writer@hanbit.co.kr**)로 보내주세요.
한빛미디어(주)는 여러분의 소중한 경험과 지식을 기다리고 있습니다.

'켄트 벡'과 '래리 콘스탄틴' 두 분이 역사를 회고한 방법대로, 저도 오랜 기억 속에 남아있던 인연부터 말씀드리겠습니다. 1980년도, 당시 국내에서는 처음 접하는 새로운 내용으로 세미나를 개최했습니다. 『Mythical Man-month』(Addison-Wesley Professional, 1995)에 있는 내용을 소개하는 이벤트였는데 놓칠 수 없는 내용이라 무리해서 참가했고, 그 덕분에 '소프트웨어 엔지니어링'의 개념을 머리에 새길 수 있었습니다.

당시는 인터넷이 없던 시기라 미국이나 유럽에서 발간되는 신간 서적이 한국에 들어오는 데는 몇 년씩이나 걸리던 때였습니다. '구조적 프로그래밍'은 이미 국내에 보급되어 익히 알고 있었고, '구조적 설계'는『Structured Design』(Yourdon, 1975)이 국내에서 판매되자마자 맹렬히 파고들었죠. 뒤이어 '구조적 분석' 『Structured Analysis and System Specification』(Prentice-Hall, 1979)이 소개되었고 저는 구조적 삼형제 사용법을 가이드 형식으로 만들어 데이콤 프로젝트에 활용하기 시작했습니다.

저자 켄트 벡은『Structured Design』이 제시하는 여러 이론은 뉴턴의 운동법칙을 소프트웨어 설계에 응용한 것에 비유된다고 극찬하고 있습니다. 제가 깨달은 것은 '기술은 바뀌더라도 내재된 원리는 영원하다'라는 것입니다. 기술은 실무에서 사용되지만, 원리는 이론으로만 남아있기 십상이죠. 그래서 대체로 실무자들은 이론을 등한시하는 경우가 많은데 그럴 경우 자기 계발하는 추동력이 떨어짐은 물론 팀원들에 대한 설득력도 떨어져서 자신이 의도하는 기술을 보급하기 어렵습니다. 그런 점에서 이 책은 구조적 설계 원리들을 계승하여 오늘날 기술들을 더 잘 활용할 수 있도록 안내하는 훌륭한 지침서가 될 것입니다.

이 책의 역자인 안영회 대표는 정부 기관 프로젝트에서 일하면서 만났는데 드물게도 이론과 실무를 병립하려는 의지를 유지하고, 끊임없이 개발자들과 소통하는 모범을 보여주었습니다. 여러분은 선진기술을 어떤 방법으로 습득하고 계시는지요? 제가 견지하고 있는 것은, 다른 언어로 된 것을 쉬운 우리말로 바꾸고 내가 하는 업무에 적용해 보여주면 우리 팀 내에서는 상식 수준이 되더군요. 그렇게 일하는 또 한 명의 후배를 만나 수시로 교류할 수 있다는 것은 저에게는 행운이죠. 이 소중한 인연 덕분에 베타리딩에 참여할 수 있었고, 우리말 문장을 가다듬는 데 일조할 수 있었습니다. 그 과정에서 정말 많은 것을 배울 수 있었습니다. 여러분도 32장에 걸쳐 있는 기법들을 한 개씩 적용해 가면서 기술력을 쌓는다면 어느새 즐겁게 일하고 있는 자신을 발견하게 되겠죠. 배우는 것을 좋아하는 독자라면 더 많이 즐기실 거고요.

앤하이브(주) 고문 **임춘봉**

켄트 벡은 너무 미세해서 사람들이 종종 무시하는 '불안'이 소프트웨어 설계에 어떤 영향을 미치는지 간파합니다. 저는 이 책에서 거론하는 내용이 다소 사소하게 보여서 그 의미도 하찮다고 여겨질까 봐 걱정됩니다. 책에서 저자는 '설계는 프랙탈'이라고 말합니다. OOP, MSA, DDD 같은 거대 담론도 코드 정리에서 출발하지 않으면 그저 사변적인 것에 머물게 될 것입니다. 감탄하며 읽었고, 앞으로 나올 후속도 기대됩니다.

컬리 물류프로덕트 본부장 박성철

책을 읽고 나니 워렌 버핏과의 점심에 참여한 느낌입니다. 누구나 알고 있지만, 누구도 정리해 주지 않은 비법이 담긴 〈켄트 벡과 옮긴이의 소통 기록〉, 〈옮긴이 특별 부록〉은 두 장인의 대담을 눈앞에서 보는 느낌을 들게 합니다.

Microsoft Senior Software Engineer 김두철

일반적으로 개발자에게 리팩터링은 작업 중 문제 발생 시 또는 개선의 필요성이 느껴질 때 진행하는 추가적인 작업으로 여겨질 때가 많습니다. 이 책을 통해 코드 정리를 언제 어떻게 할지, 코드를 정리하는 이유 등에 대한 여러 지침을 익힐 수 있습니다. 모든 개발자가 코딩 기술을 향상하거나 유지 관리가 더 쉬운 소프트웨어를 만드는 데 실용적 도움이 될 것입니다.

이마트 DT AI/ML담당 정유선

이 책은 '어떻게 할지'가 아닌 '어떻게 생각할지'에 초점을 맞춘 책입니다. 소프트웨어 개발과 코드 개선 과정에서 우리가 직면하는 선택에 대한 유용한 관점을 제시합니다. 더불어 옮긴이의 풍부한 개발 경험이 덧붙여져, 책을 읽으시는 분들은 다양한 인사이트를 얻게 될 겁니다.

라인플러스 Tech Lead **이기탁**

『켄트 벡의 Tidy First?』는 저자의 수십 년 경험을 통해 얻은 탁월한 통찰로 가득 찬 책입니다. 저자의 통찰과 더불어 옮긴이가 자신의 경험을 토대로 저자와 끊임없이 소통하고 고민하며, 최대한 국내 독자들이 읽기 쉽게 우리말로 옮겼기에 설계에 대해 알고 싶은 모든 개발자에게 이 책을 적극 추천합니다. 다음 시리즈도 빠르게 나오길 기대합니다.

AtlasLabs, VP of Engineering **정현준**

켄트 벡의 글(XP, TDD)을 접하면서 항상 좋았던 점은 소프트웨어를 만들기 위한 바탕을 어디에 두어야 하는지 알려주는 것이었습니다. 이 책을 보면서도 소프트웨어 설계를 활용하는 방법을 본인의 40년이라는 경험에 기반하여 간결하게 풀어냈다는 느낌이 들었습니다. 게다가, 옮긴이인 안영회 대표님이 번역하시는 과정에서 켄트 벡과 소통하는 것들을 전해 듣는 것만으로도 저에게는 값진 경험이 되었습니다. 소프트웨어를 어떻게 만들어가야 하는지 궁금하신 모든 직종의 분에게 이 책을 추천드립니다.

트레드링스 ZimGo Part Leader **황호성**

단순한 기술 전달을 넘어, 코드 정리를 통해 혁신적인 설계를 만드는 방법을 제시하여 개발에 대한 사고방식을 바꿔주는 책입니다. 특히 개발을 처음 시작하는 주니어 개발자들에게 강력하게 추천합니다. 이 책은 코드를 깨끗하게 정리하고, 유지 관리하기 쉬운 설계를 만드는 데 도움을 줄 뿐만 아니라, 모든 개발자가 한 걸음 나아가는 데 큰 역할을 할 것입니다.

에피카 개발본부 이사 **이신우**

시리즈의 첫 번째 책인 이 얇은 책은 직업 프로그래머 중에서도 자신의 기술에 대해 어쩌면 괴짜geek라는 소리를 들을 정도로 깊은 관심을 가지고, 작은 행동을 통해서 작업을 개선하여 큰 성과를 거두고 싶은 소프트웨어 개발자를 위한 책입니다. 저자 켄트 벡은 세부 사항에 항상 주의를 기울이면서도 큰 이슈와 큰 그림 사이에서 해당 사항을 조율할 수 있는 헌신적인 전문가입니다.

실무 소프트웨어 개발자는 보통 이론을 소홀히 하는 편이지만, 저자는 이 책에서 이론과 실무를 결합하여 가독성과 실용성을 함께 갖춘 깔끔한 코드를 만들 수 있게 안내합니다.

이론적으로 보면, 이론과 실제 사이에는 차이가 없습니다. 하지만 실제로는 차이가 있기 마련입니다. 이 명언은 요기 베라Yogi Berra나 알베르트 아인슈타인Albert Einstein, 그리고 다른 이들의 말로 잘못 알려져 있습니다. 오직 괴짜처럼 말을 다루는 사람만이(저 역시 '그런' 낱말 괴짜임을 시인합니다) 그 올바른 출처가 예일Yale 문학잡지 1882년판에 쓴 예일 학생이었던 벤자민 브루스터의 글이었다는 것을 알고 있습니다.[1] QuoteInvestigator.com에서 활동하는 헌신적인 낱말 괴짜들 덕분에 여기서 독자들에게 괴짜스런 내용을 자신 있게 제공할 수 있습니다. 이것은 세부 사항을 올바르게 파악하는 데 달려 있는 일종의 직업의식이죠.

이론과 실무를 결합하는 과정에서 저자는 바닥부터 시작해 작은 코드 조각과 세부 사항에 대해 세심한 주의를 기울입니다. 그리고 나서 불가피한 변경이나 수정

---

[1] 옮긴이_ 다음 웹페이지에서 관련 내용을 찾을 수 있습니다. *https://quoteinvestigator.com/2018/04/14/theory/*

을 만나 더 강력하고 깔끔한 코드를 만드는 방법을 설명하며, 보다 큰 관점으로 나아갑니다. 이러한 안내를 실무에 맞춰 구성하면서, 궁극적으로 소프트웨어 공학의 핵심 이론에 따라 소프트웨어 설계에 대한 실물 경제까지 이끌어 냅니다.

그 핵심 이론은 단순합니다. 컴퓨터 코드의 복잡성은 코드가 부분으로 조직되는 방식, 각 부분 사이의 결합도 그리고 각 부분들 사이의 응집도에 따라 달라진다는 것입니다. 대개 결합도와 응집도 이론의 기원은 제가 에드워드 요던^{Edward Yourdon}과 함께 쓴 책, 『Structured Design』(Yourdon, 1975)에서 찾지만, 그 기원은 1968년 매사추세츠주 케임브리지에서 열린 콘퍼런스 발표까지 거슬러 올라갈 수 있습니다. 결합도와 응집도는 1979년 『Structured Design』의 2판까지 거의 다루지 못했습니다. 당시 편집자들은 '아무도 이 이론에 관심이 없다'는 이유로 2개의 챕터를 생략하자고 에드와 저를 설득했기 때문입니다. 다행히도 소프트웨어 공학 역사에서 알 수 있듯이 저자들이 승리했고 편집자들은 틀렸다는 것이 증명되었습니다. 이후 이 이론은 반세기에 걸친 실무에서 사실상 수백 건의 연구 및 조사로 검증되었습니다.

결합도와 응집도는 단순히 프로그램을 실행하는 컴퓨터의 관점에만 그치지 않습니다. 이와 더불어 인간이 코드를 이해하려 할 때도 컴퓨터 코드의 복잡성을 측정하는 척도가 됩니다. 프로그램을 만들든, 수정하든, 변경하든 어떤 프로그램을 이해하려면 바로 앞에 있는 코드 조각뿐만 아니라 해당 코드에 의존하거나 영향을 주고받는 다른 코드 조각까지 이해해야 합니다. 모든 코드가 서로 잘 들어맞고, 전체적으로 의미가 있으면 인지 심리학자들이 게슈탈트라고 부르는 것을 형성하는데, 이렇게 되면 바로 앞에 있는 코드 조각을 더 쉽게 이해할 수 있습니다. 이것이 바로 응집도입니다. 또한, 다른 코드 조각들과 관계의 수가 적으면서 관계가 비교적 약한 대신, 제약이 많다면 다른 코드 조각과의 관계를 이해하기 쉽습니다. 이것이 바로 결합도입니다. 결합도와 응집도는 실제로 뇌가 복잡한 시스템을 다루는 방식에 관한 모든 것입니다.

멋지고 깔끔하게 보이죠? 이것이 바로 그 이론입니다. 이제 실무적인 세부 사항과 더불어 그에 걸맞은 이론을 함께 한다면 이해가 더 잘 되겠죠. 켄트 벡이 그 길을 친절하게 안내해 드릴 것입니다.

래리 콘스탄틴[2]

---

2 래리 콘스탄틴은 포르투갈 마데이라 대학교와 호주 시드니 공과대학교의 전직 교수입니다. 200편이 넘는 논문과 루시 록우드와 함께 저술한 졸트 어워드 수상작인 『Software for Use』(Addison-Wesley Professional, 1999)와 필명인 리오르 삼손으로 쓴 15권의 소설을 포함해 30여 권의 책을 저술했습니다.

지은이·옮긴이
소개

지은이 **켄트 벡** Kent Beck

소프트웨어 패턴^{Pattern}, 테스트 주도 개발$^{Test\ Driven\ Development}$, 익스트림 프로그래밍
$^{Extreme\ Programming}$(XP) 같은 아이디어들을 주장하면서 지속적으로 소프트웨어 공학
의 교조에 도전하고 있습니다. 애자일 선언문의 서명자이며, 『테스트 주도 개발』
(인사이트, 2014), 『켄트 벡의 구현 패턴』(에이콘출판사, 2008), 『익스트림 프로
그래밍(2판)』(인사이트, 2006)을 포함한 많은 책의 저자입니다.

옮긴이 **안영회** david@bettercode.kr

베터코드 CEO. 프로그래머로 사회 생활을 시작해서 IT 컨설팅과 IT 서비스 회
사 경영자로 동종 업계에서 스무 해 이상 일하고 있습니다. 한때는 한국 스프링 사
용자 모임(KSUG)을 만들어 운영했던 만큼 커뮤니티 활동과 지식 공유를 즐기고
있습니다.

번역서 서문을 쓰면서 좋은 점 한 가지는 원어 서적을 출간하고 나서 관찰했던 내용을 추가할 수 있다는 점입니다. 책을 읽기 전에, 여기 계신 여러분에게 몇 가지 요점을 알려 드리고자 합니다.

이 책은 얇습니다. 그런데 얇은 이유가 따로 있죠.

- 제 생각에 IT 서적을 주로 읽는 대부분의 독자는, 보통 많은 분량을 집중해서 읽지 않습니다. 그래서 이 책도 최소한의 분량으로 구성했습니다.
- 여기에 있는 개념은 소프트웨어 설계에 대해 제가 알고 있는(또는 안다고 생각하는) 것의 일부이지만, 제가 가장 자신 있게 설명할 수 있는 개념입니다. 더 많이 쓸 수도 있었으나 그 부분들은 오히려 안 하니만 못할 우려가 있었죠.
- 이 책은 연작으로 기획 중인 최소 3권의 시리즈 중 첫 번째입니다. 여러분이 이 책의 내용을 적용하는 데 익숙해지고, 제가 추가 개념을 더 잘 설명할 수 있게 된다면 우리는 함께 2권을 더 나은 환경에서 준비할 수 있게 될 것입니다. 그렇다면 2권에 이어 우리는 3권도 함께 준비하게 될 것입니다.

숙련된 개발자들 입장에서 보면, 이 책에는 새롭다고 할 만한 내용은 별로 없다고 말합니다. 그런데도 책을 읽고 나서는, 이전보다 더 명확히 스스로 설명할 수 있게 되었다고 고백합니다. 총 3부 중에서 1부에 있는 코드 정리의 내용이 여러분에게는 기본에 불과한 것으로 드러나더라도 나머지를 계속 읽어 보기를 권합니다. 책이 얇은 만큼, 코드 정리는 금방 지나갈 수 있고, 여러분을 성공으로 이끌어 온 몇 가지 기술을 1부 이후에서 새로운 시각으로 설명했기 때문입니다.

비숙련 개발자들은 책의 초반부에서 기술 체크리스트를 제시했다고 말하기도 합니다. 코드 정리에 적용할 기회를 한 개라도 찾아보세요. 친구들과 함께 포켓몬 게

임하듯이 진행해 보세요. 그리고 모두 잡아 봅시다.

관리자로서는 엔지니어들이 여러 해 동안 이야기해 온 것을 이제야 잘 이해할 수 있게 되었다고 말합니다. 엔지니어링과 제품 관리자를 대상으로 한 것은 아니지만, 일단 책이 얇잖아요. 그만큼 누구나 빠르게 읽을 수 있는 책입니다.

익스트림 프로그래밍(XP)에서 얻은 한 가지 경험은, 국가 문화가 소프트웨어 개발에 미치는 영향이 매우 지대하다는 점이었습니다. 한국인으로서 여러분과 여러분의 팀에서는 소프트웨어 설계에 어떤 취향을 가질지 잘 모르겠습니다. 그러나 소프트웨어 설계를 형성하는 근본적인 힘은 여러분이 지구상에 어디에 계시던지 똑같이 작용합니다. 결합도는 결합도일 뿐입니다. 미래를 예측할 수 없다고 말하면 그저 미래를 예측할 수 없다는 의미입니다.

따라서 여러분은 이러한 저의 아이디어를 받아들이고, 의미 있다고 생각되는 선에서 적용해 봤으면 좋겠습니다. 1년 정도 지나서 다음 편에서 또 뵙겠습니다.

켄트 벡
2024년, 샌프란시스코

소프트웨어 설계는 날카로운 도구입니다. 하지만 어떤 사람들은 자신이 칼을 휘두르고 있는 줄도 모르고 있습니다. 심지어 손잡이가 아닌 칼날을 잡고 휘두르는 사람도 있죠. 이런 현상들은 제가 소프트웨어 설계에 대해 글을 쓰는 하나의 커다란 이유가 됩니다. 그것이 제 개인적인 사명 선언문, '괴짜들이 세상에서 안전하다고 느끼도록 돕는 일'에 속하기 때문입니다.

저의 사명으로 이끄는 길은 두 가지 갈래가 있습니다. 첫째, 괴짜들은 안전하지 않은 방식으로 소프트웨어를 설계하여 우연히 시스템의 동작을 망가뜨리곤 합니다. 둘째, 괴짜들이 소프트웨어를 지원하는 인간관계를 긴장시키는 방식으로 소프트웨어를 설계하는 경우입니다. 안전하지 않은 행동을 할 때, 불안을 느끼는 것은 당연한 일입니다. 안전하지 않은 행동을 하면서 불안해하는 것은 경솔하게 안전을 확신하며 우둔하게 있는 것보다 훨씬 낫습니다.

사람들이 안전하게 설계하는 법을 배우도록 돕는 것이 제 사명입니다. 따라서 책 전체에서 작고 안전한 단계로 작업하는 예를 자주 보게 될 것입니다. 저는 단기적으로 급히 해결하는 일에는 관심이 없습니다. 소프트웨어 설계는 가치를 만들고, 그렇게 만들어진 가치는 시간이 흐른 뒤에야 현실에 나타납니다.

그러나 이 책에서 다루는 방법은 조금 예외적입니다. 코드 정리 선행을 실천하면 가치를 바로 깨닫게 됩니다. 여러분이 동작을 조작하는 코드를 작성하는 수준만큼, 코드의 구조를 조작하는 데 익숙해지기를 바라는 마음에 기획한 책입니다. 설계에 대해 더 깊이 알게 되면 더 장기적으로 영향을 끼치고 장기적인 보상이 있는 동작, 더 많은 사람에게 영향을 미치는 동작에 대해 이야기할 것입니다.

소프트웨어 설계에 대한 여타 설명을 읽다 보면 '얼마나?'와 '언제?'라는 필수 요소가 빠져 있다는 것을 알 수 있었습니다. 다른 소프트웨어 설계자들은 **설계 자체가 시간을 초월해서 이뤄지는 것처럼 행동했습니다.** 그래서, 속도를 늦추는 성가신 코드가 생기기도 전에 설계를 하거나 코드의 동작을 변경해야 한다는 계속되는 압박에 시달리다가 무기한 타임아웃 상태에 진입해서 설계를 하는 듯했죠. 저는 이러한 의문을 탐구하고 이에 답하는 데 유용한 원칙을 제공할 수 있는지 알아보고 싶었습니다.

소프트웨어 설계는 항상 저에게 지적인 퍼즐을 선사했습니다. 저는 '이 큰 변화를 한입에 쏙 들어가는 크기로 축소할 수 있는 설계는 무엇일까?'라고 궁금해하는 순간을 즐깁니다. 프로그래밍을 하다 보면 자기 학대적인 느낌이 들곤 합니다. 복잡도를 잔뜩 쌓고 멋지게 풀어내려는 영웅적인 심리가 무의식에 자리하는 듯합니다. 하지만, 이미 세상은 충분히 도전적인데 우리 자신과 다른 사람들이 일을 더 쉽게 할 수 있음에도, 이를 회피할 이유가 있을까요?

소프트웨어 설계 퍼즐의 또 다른 측면은 소프트웨어 설계를 이끄는 힘이 무엇인지, 또 그 힘에 맞서려면 어떤 원칙을 사용해야 하는지를 파악하는 것입니다. 설계 조언들이 많지만 **실제 증거와 만나면 모순만을 드러내죠.** 숙련된 설계자가 만들어낸 결과물인데도, 그들이 신봉하는 원칙으로 계속해서 진행하기 어려운 이유는 무엇일까요? 정말 무슨 일이 벌어지고 있는 걸까요?

책에서는 숨길 수 없이 모두 드러나고 맙니다. 제가 어떤 주제를 완전히 이해하지 못하면 여러분도 그 사실을 알아차릴 것이고, 결국 제가 할 수 있는 일은 아무것도 없습니다. 응집도 개념을 예로 들어 보겠습니다. 15년 전에는 응집도를 딱 부러지게 정의할 수 있었지만, 책을 쓰기 시작하면서 작년까지도 응집도를 만족스럽게 설명할 수 없었습니다. 저는 지금도 스스로를 이해시키기 위해 노력하고 있습니다.

여러분도 코드 정리를 먼저 했을 때 도달하게 될 특별한 순간을 맛보시기를 바랍니다. 특정 코드를 정리하면 관련 기능을 더 쉽게 만들 수 있습니다. 연이어 다른 기능도 더 쉽게 만들 수 있게 됩니다. 그렇게 정리는 복합적이 되기 시작합니다. 이 기능을 더 쉽게 만들었더니, 저 기능도 더 쉬워지는 거죠. 갑자기 힘들이지 않고도 펜을 한두 번만 휘두르는 것으로 거대한 단순화가 이뤄지는 현상은 마치 눈사태를 보는 듯합니다. 그리고 모든 단계에 동료를 참여시켰기 때문에 여러분의 천재성에 대해 충분한 정보를 가진 관객들을 확보하게 되고, 그 관객들 역시 '조금씩 조금씩 만들어 낸 커다란' 구조 변화의 혜택을 누리기 시작하면서 여러분에게 더욱 고마워하게 될 것입니다.

글쓰기를 하는 재정적 동기로 마무리하겠습니다. 다른 글에서도 언급했듯이 저는 돈을 목적으로 글을 쓰지 않습니다. 단지 글을 써서 돈을 벌면, 다시 글을 쓸 여유를 갖게 될 뿐입니다. 모든 기술 서적이 그렇듯이, 저는 이 책을 통해 대박을 기대하지 않습니다. 물론, 이 책의 성공으로 더 좋은 차를 살 수 있다면, 그림 그리기, 기타 연주, 포커 대신 글을 쓸 수 있는 충분한 격려가 되겠지만, 그만큼 원하지는 않습니다. 그래서 저는 이 책으로 약간의 돈을 벌고 싶지만, 제가 받는 것보다 훨씬 더 많은 가치를 제공하려고 합니다.

켄트 벡

여러 가지 이끌림에 의해 번역을 할 수 있게 되어 참 다행이라 생각합니다. 그리고 번역하기를 잘했다고 생각합니다. 이에 대해서는 별책부록의 '5장 켄트 벡의 글을 번역하며 알게 된 것들'에 상세하게 썼습니다. 그래서 여기서는 부록에 담지 않은 깨달음과 고마움에 대해 씁니다.

번역을 하면서 제가 할 수 없는 일과 굳이 꼭 나서지 않아도 이뤄지는 일에 대해 경험하게 된 듯합니다. 먼저 할 수 없는 일에 대해서 느낀 바가 있습니다. 만약 제가 번역을 결심했을 당시, 이미 원서는 나와 있었기에 번역 작업이 진행 중이었다면 제가 번역을 하는 행운은 주어지지 않았을 것입니다. 그리고 전업 번역가는 아니기 때문에 주어진 시간 내에 제가 맡고 있던 역할과 병행하며 시간을 나눠 써야 했습니다.

제 역량의 한계가 있기 때문에 제대로 번역을 할 수 있을지 걱정이 되기도 했습니다. 하지만, 늘 그랬듯이 일단 마음이 이끄는 대로 나아갔습니다. 그 덕분에 제가 온전히 통제하지 않아도 이루어지는 일들에 대해 느낄 수 있었습니다. 물론, 제 몫을 해야 하니까 제가 통제할 수 있는 것들에 집중하는 법도 함께 배웠습니다.

이 짧은 배움을 뭐라 해야 할까 생각해 봤습니다. 딱 맞는 이름은 아니겠지만, 저는 '사회적 활동'의 양상과 '사회적 기여'의 특성에 대한 중요한 일면을 발견했다고 생각합니다. 그리고 어쩌면 그 여파로 인해 더 영리하고 효과적으로 사회에 기여할 수 있는 사람이 될지도 모르겠다는 희망을 품어 봅니다. 그리고 그 대상은 늘 그랬듯이 프로그래머의 삶과, 프로그램이 세상을 더 나아지게 하는 사회적 활동입니다.

끝으로 이 책을 번역하는 데 도움을 주신 분들이 많지만, 임춘봉 님만큼은 언급하지 않을 수 없습니다. 그리고, 가정에서의 제 역할을 보완해 주었을 사랑하는 아내 김희영 님에게도 고맙다는 말을 남깁니다.

안영회

이 책에 대한 옮긴이의 글 또는 토론을 할 수 있는 곳은 다음과 같습니다.

· https://tidyfirst.bettercode.kr/

코드 정리란?

"이 코드를 변경해야 하는데, 엉망이네요. 뭐부터 하는 게 좋을까요?"

"변경 전에 코드 정리부터 해야 할지, 한다면 조금만 해도 될지, 아니면 정리보단 변경부터 할까요?"

여러분 스스로도 던져 봤을 법한 질문입니다. 그리고 쉽게 답할 수 있었다면, 그 문제를 자세히 다룬 책을 낼 필요는 없었겠죠.

이 책은 다음 내용을 다룹니다.

* 지저분한 코드를 정리한 후 프로그램 연산을 변경하는 시점
* 지저분한 코드를 안전하고 효율적으로 정리하는 방법
* 지저분한 코드 정리를 멈추는 시점
* 코드 정리가 작동하는 이유

소프트웨어 설계는 인간관계 속에서 벌어지는 활동입니다. 이 책에서는 거울 속의 사람[1] 즉, 프로그래머 자신과의 관계부터 다루기 시작합니다. 스스로 돌보는 시간을 가져보는 건 어떨까요? 자신의 일을 쉽게 만드는 데 시간을 내면 어떨까요? 왜 우리는 사용자를 돕는 업무를 하지 않고, 코드 정리라는 토끼굴[2]에 빠지는 걸까요?

---

[1] 옮긴이_ 거울 속의 사람은 마이클 잭슨의 노래 제목인데, 세상을 바꾸기 위해 나와 거울 속의 남자가 함께 시작한다는 가사가 있습니다. 〈켄트 벡과 옮긴이의 소통 기록〉 PREFACE 내용 중에서 〈마이클 잭슨 노래 속 멋진가사를 만나다〉를 보시면, 저자와 오간 대화가 있습니다.

[2] 옮긴이_ 토끼굴에 빠진다는 표현은 루이스 캐럴 원작의 〈이상한 나라의 앨리스〉에서 유래한 영어 관용어 'Down the rabbit hole'을 번역한 것입니다. 무언가에 깊이 빠져들거나 이상한 곳으로 가는 것을 의미합니다.

이 책은 괴짜들이 세상에서 안전하다고 느끼도록 돕는 제 사명을 따르는 행보입니다. 또한 지저분한 코드를 만났을 때 취해야 할 첫 번째 단계이기도 합니다. 소프트웨어 설계는 잘 활용한다면 세상의 고통을 덜어주는 강력한 수단이 될 것이고, 잘못 활용한다면 또 다른 억압의 수단이 되고 소프트웨어 개발의 효과를 떨어뜨리는 걸림돌이 될 것입니다.

그리고 이 책은 저의 소프트웨어 설계 시리즈 중 첫 번째 책입니다. 저는 더 많은 사람이 소프트웨어 설계를 잘 다루고 소중하게 여기기를 바랍니다. 그래서 각자가 스스로 할 수 있는 소프트웨어 설계부터 시작하려고 합니다. 다음 책에서는 소프트웨어 설계를 통해 팀 내 프로그래머 사이에 관계를 증진하는 방법을 다루고 난 후, 비즈니스와 기술 사이의 관계라는 큰 주제를 다룰 예정입니다. 일단 지금은 매일 벌어지는 일상에 도움이 되는 방식으로 소프트웨어 설계를 이해하고 연습합시다!

여러 줄의 긴 코드가 포함된 큰 함수가 있다고 가정해 보겠습니다. 보통 우리는 함수를 변경하기 전에 해당 코드를 읽고 무슨 일이 일어나고 있는지 이해합니다. 이 과정에서 코드를 논리적으로 더 작은 덩어리로 나눌 수 있는 방법을 알게 됩니다. 이러한 덩어리를 추출하는 일이 바로 코드 정리입니다. 이외에도 보호 구문, 설명하는 주석, 도우미 함수 따위의 코드 정리 방법이 있습니다.

이와 같은 코드 정리를 위한 다양한 정리법을 실천하기 위해 코드 덩어리를 작은 단위로 나누어 언제 어디서 적용할 수 있는지 이 책에 모두 담았습니다. 따라서 단번에 모든 코드 정리법을 익히려 하기보다는 자신의 문제에 어울리는 몇 가지 코드 정리법을 먼저 시도해 볼 수 있습니다. 이 책은 또한, 소프트웨어 설계의 기본 이론인 결합도, 응집도, 현금흐름할인[3], 선택 가능성을 다룹니다.

누구를 위한 책인가?

이 책은 프로그래머, 수석 개발자, 직접 개발하는 아키텍트, 기술 관리자를 위한 책입니다. 특정 프로그래밍 언어와 무관하게 모든 개발자가 이 책의 개념을 읽고 자신의 프로젝트에 적용할 수 있습니다. 이 책은 독자가 프로그래밍을 처음 접한 건 아니라고 가정합니다.

무엇을 배울 수 있는가?

이 책을 다 읽고 이해할 수 있는 내용은 다음과 같습니다.

- 시스템의 동작을 변경하는 일과 구조를 변경하는 일의 근본적인 차이점
- 각자가 스스로 코드를 변경하는 프로그래머로서 구조 변경과 동작 변경에 대한 투자를 병행하는 비법
- 소프트웨어 설계가 작동하는 방식과 이에 작용하는 힘에 대한 이론의 기본 사항

---

3 옮긴이_ discounted cash flows는 보통 '현금흐름할인법'이라는 금융 용어로 사용되지만, 이 책에서는 25장 '오늘의 1달러가 내일의 1달러보다 크다'에서 다루는 가치 판단 방법을 말합니다.

더불어 다음을 익힐 수 있습니다.

- 때로는 코드 정리를 먼저 하고, 때로는 코드 정리를 나중에 하는 식으로 프로그래밍 경험 개선하기.
- 큰 변경을 작고 안전한 단계로 시작하기.
- 다양한 행동 장려책과 함께 하나의 인간 활동으로 소프트웨어 설계 준비하기.

이 책의 구조

이 책은 크게 세 부분으로 구성되어 있습니다.

1부 코드 정리법

코드 정리는 마치 미니어처 같은 아주 작은 리팩터링입니다. 각각의 짧은 장마다 코드 정리 방법을 다룹니다. 코드 정리 적용 전과 후를 대비하는 코드를 예로 들어 설명합니다.

2부 관리

다음은 코드 정리 절차 관리를 다룹니다. 저의 코드 정리 철학은 코드 정리를 결코 큰일로 다루지 않습니다. 코드를 정리하는 일이 반드시 보고해야 하고, 추적하고, 계획하고, 일정을 잡아야 하는 일이 되어서는 안 됩니다. 특정 코드를 변경해야 하는데 코드가 지저분해서 변경하기 어려울 때, 먼저 코드를 정리하는 것입니다. 일상적인 업무이자, 생각하면서 개선하는 절차입니다.

3부 이론

드디어 제가 날개를 펴고 깊이 파고들 수 있는 주제에 도달했습니다. '소프트웨어 설계는 인간관계 속에서 벌어지는 활동입니다'라는 말은 무슨 뜻일까요? 여기서 말하는 인간이란 누구인가요? 어떻게 하면 더 나은 소프트웨어 설계를 통해 이들의 요구를 더 잘 충족시킬 수 있을까요? 소프트웨어 비용은 왜 그렇게 많이 들까요? 이에 대해 우리가 할 수 있는 일은 무엇일까요(스포일러 주의: 소프트웨어 설계)? 결합도? 응집도? 멱법칙?

제 목표는 독자들이 아침에 책을 읽고 오후에는 더 나은 설계를 할 수 있도록 하는 것입니다. 그리고 그 후에도 매일 조금씩 더 나은 설계를 하는 것이죠. 머지않아 소프트웨어로 가치를 제공하는 사슬에서, 소프트웨어 설계는 더 이상 가장 약한 고리가 되지 않을 것입니다.

왜 '경험적인' 소프트웨어 설계인가?

소프트웨어 설계에서 가장 큰 논쟁은 무엇을 설계할 것인가에 관한 것입니다.

- 서비스는 얼마나 커야 할까요?
- 코드 저장소^{repository}는 얼마나 커야 할까요?
- 이벤트 VS 명시적 서비스 호출
- 객체 VS 함수 VS 명령형 코드

이러한 논쟁에는 소프트웨어 설계자들 사이에 더 근본적인 의견 차이가 숨어 있습니다. 바로 '언제 설계할 것인가?'에 대한 문제인데, 이 논쟁의 극단을 보여주는 두 개의 풍자로 소개합니다.

추측형 설계

다음에 할 일을 알았으니 지금 당장 설계해 봅시다. 지금 설계하는 것이 비용을 줄이는 길입니다. 게다가 일단 소프트웨어는 개발에 들어가면 설계할 기회가 없으니 그 전에 모든 것을 설계합시다.

반응형 설계

기능은 누구나 관심을 가집니다. 그러니 기능을 위주로 하고 설계는 최소한으로 줄입시다. 기능 추가가 거의 불가능해진다면, 그때 기능을 다시 다룰 수 있을 정도만 설계를 보완합니다.

그 시점이 "언제?"냐고 묻는다면 "그 중간 어딘가"라고 답하고 싶습니다. 특정 클래스에 기능을 추가하기 어렵다고 판단되면, 압박감이 해소될 정도로만 설계를 진행합니다. 다음과 같은 피드백 주기가 진행되기에 충분한 설계부터 시작합니다.

기능 Feature

사용자가 원하는 것은 무엇일까요?

설계

프로그래머가 이러한 기능을 제공할 수 있도록 가장 잘 지원하려면 어떻게 해야 할까요?

경험적인 소프트웨어 설계는 "언제?"라는 질문에 대한 해답을 제시합니다. "설계를 활용할 수 있는 시기를 설계하세요" 이 답을 하려면 취향, 협상, 판단력이 필요합니다. 취향과 판단력이 필요하다는 것이 약점일까요? 물론입니다. 하지만, 피할 수 없는 약점입니다. 추측형이나 반응형 설계 모두 판단력이 필요하지만, 이때는 소프트웨어 설계자가 사용할 수 있는 도구가 적습니다.

저는 이 스타일을 설명할 때 경험적이라는 단어를 좋아하는데, 추측형 설계와 반응형 설계의 시점을 명확하게 구분하는 것 같기 때문입니다. "이론이나 순수한 논리보다는 관찰이나 경험에 근거해서 충분한 관심을 갖고, 면밀히 검증합니다" 대략 맞는 말 같군요.

나는 왜 이 책을 썼는가?

학부 시절에 저는 故에드워드 요던과 래리 콘스탄틴이 쓴 『Structured Design』(Yourdon, 1975)이라는 책으로 소프트웨어 설계 수업을 들었습니다. 이 책에서 다루는 문제를 아직 겪어보지 못했기 때문에 책의 내용을 대부분 이해하지 못했습니다.

25년이 지난 2005년으로 돌아가 보겠습니다. 이 무렵 저는 많은 소프트웨어를 설계한 경험이 있었으므로, 설계에 대해 꽤 잘 알고 있다고 생각했습니다. 스티븐 프레이저는 그 책의 출간 30주년을 기념하기 위해 대규모 객체 지향 프로그래밍 콘퍼런스인 OOPSLA에서 패널을 구성했습니다. 에드와 래리가 패널로 참여했고, 레베카 위프스-브로크, 그래디 부치, 스티브 맥코넬, 브라이언 헨더슨-셀러스가 함께 했습니다.

무대에서 망신을 당하고 싶지 않다면 숙제를 해야 했습니다. 그래서 저는 누렇게 변색된 『Structured Design』 책을 펼쳐서 읽기 시작했습니다. 몇 시간 후 저는 완전히 매료되었습니다. 뉴턴의 운동 법칙을 소프트웨어 설계에 적용하고 있었죠. 책을 다 읽고 난 후에는 모든 것이 너무 명확했습니다. 우리 업계는 어째서 그 명쾌함을 잊고 있었을까요?

패널은 잘 진행되었던 것으로 기억합니다. 하지만 저에게 콘퍼런스 일정의 하이라이트는 천재적인 두 사람, 에드와 래리, 그들과 함께한 완벽하게 편안했던 아침 식사였습니다. [그림 P-1]은 그들이 오래된 제 교과서에 남긴 서명입니다.

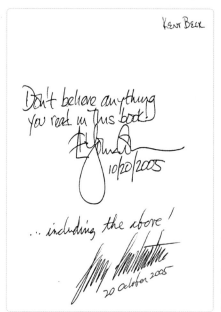

그림 P-1 '이 책에서 읽은 어떤 말도 믿지 마세요' ('Don't believe anything you read in this book!') 라는 에드워드 요던의 글귀와 함께 그의 사인 그리고 '위 내용도 포함'('…including the above!')이라는 글귀와 래리 콘스탄틴의 사인

물론 그 당시 책은 이미 오래된 책이었습니다. 종이 테이프와 자기 테이프를 사용한 예제는 더 이상 적합하지 않았습니다. 어셈블리 언어와 새로운 상위 언어에 대한 논의도 마찬가지였습니다. 하지만 기본은 여전히 정확했습니다. 저는 그 자료를 오늘날의 관객들에게 전달해야겠다고 다짐했습니다.

그 사이 몇 년 동안 소프트웨어 설계 책을 쓰려고 여러 번 시도했지만 번번이 실패했습니다(제가 무슨 일을 하고 있었는지 알고 싶으시다면, 'Kent Beck Responsive Design'을 검색해 보세요). 그러던 중 2019년, 예기치 않게 2주 동안 전혀 예정에 없던 시간을 갖게 되었습니다. 저는 그 2주 동안 얼마나 책을 쓸 수 있을지 시도해 보기로 했습니다.

만 단어를 작성한 후, 한 권의 책으로 소프트웨어 설계의 모든 것을 다룰 수는 없다는 중요한 교훈을 얻었습니다. 제가 초고를 작성할 때, 계속 떠오르는 시나리오 중하나가 바로 소규모 설계의 순간이었습니다. 지저분한 코드가 있는데 이 코드를 바로 변경해야 할까, 아니면 코드 정리를 먼저 해야 할까?

제 책 쓰기 경험은 항상 이런 식이었습니다. 일단 책 한 권으로 쓰기에는 너무 작아 보이는 주제를 잡습니다. 그리고 씁니다. 책으로 쓰기에는 너무 큰 주제임을 깨닫습니다. 너무 작다 싶은 조각으로 또 나눕니다. 다시 씁니다. 아직도 너무 큰 것임을 발견합니다. 이 과정을 반복합니다.

이제 거의 20년이 된 그 다짐의 첫 번째 결실을 (E-book이나 실제 책으로) 여기서 만나보실 수 있습니다. 저는 매시간 "코드 정리가 먼저인가?"라는 질문에 대해 논의하면서, 그 해답을 찾았습니다. 그 논의를 통해 설계자로서 제 마음에 소중한 많은 주제를 다룰 수 있었습니다. 이제 여러분의 피드백을 받으면서 소프트웨어 설계를 재미있고 가치 있게 만드는 모든 요소에 대해 더욱 깊이 이해하고 싶습니다.

PART 01 코드 정리법

목차

PART 02 관리

PART 03 이론

PART 04 참고 문헌

코드 정리법

저는 구체적인 것에서 출발해 추상적인 것으로 나아가는 학습을 선호합니다. 그래서 1부에서는 일종의 카탈로그 형태로 시작하겠습니다. 카탈로그는 코드 변경을 위해 지저분한 코드를 마주칠 때마다 적용할 수 있는 작은 설계 움직임^{move}을 다룹니다.

이미 리팩터링^{refactoring}에 익숙한 분이라면 기존 동작을 바꾸지 않고 코드의 구조만 바꾼다는 점에서 매우 비슷하다고 볼 수 있습니다. 코드 정리를 리팩터링의 부분집합으로도 볼 수 있습니다. 코드 정리는 작은 리팩터링으로 누구도 싫어할 수 없을 정도로 사랑스럽고 포근합니다.

반면에, 종종 사람들이 '리팩터링'을 적용하는 동안에는 기능 개발을 멈추는 것으로 오해했기 때문에 치명적 피해를 끼쳤습니다. 게다가 '동작을 고치지 마세요'라고 쓴 주석마저 지워 버리는 경우도 있어서, '리팩터링' 때문에 아쉽게 시스템 장애를 일으키기도 했습니다. 생각해 봐요. 새로운 기능을 넣은 것도 아닌데 잠재 위험은 있고, 끝나봐야 새로 보여줄 것도 없다면요? 그런 일이라면 안 하는 게 낫죠.

2부에서는 코드 정리법을 개발 흐름에 통합하는 방법을 다룹니다. 그전에 1부를 통해 코드 정리법을 익히면, 다음 번 개발할 때 분명 더 큰 즐거움을 줄 것입니다.

보호 구문

이런 코드를 종종 보셨을 것입니다.

```
if (조건)
    ...코드...
```

혹은 조금 나아 보이는 이런 코드도

```
if (조건)
    if (다른 조건 부정)
        ...코드...
```

이런 코드를 읽을 때면 중첩된 조건은 헷갈립니다. 그래서 코드를 다음과 같이 정리할 수 있습니다.

```
if (조건 부정) return
if (다른 조건) return
...코드...
```

이렇게 하면 더 읽기 쉬워집니다. 이는 마치 "코드의 세부 사항을 살펴보기 전에 염두에 두어야 할 몇 가지 전제 조건이 있습니다"라고 말하는 것처럼 보입니다.

포트란^{FORTRAN}을 쓰던 시절에는 메모리를 아끼기 위해 종종 하나의 루틴에 대해서도 시작과 끝을 다르게 작성하는 경우가 있었습니다. 하지만 그런 코드를 디버그하기란 거의 불가능하기 때문에 하나의 루틴에는 하나의 반환문이라는 규칙이 만들어졌습니다. 보호 구문이 있는 코드라면 전제 조건이 명시적으로 드러날 때 분석하기 쉽습니다.

다만, 보호 구문을 남용하지는 마세요. 현장에서 습관적으로 작성한 듯한 7, 8개의 보호 구문이 있는 루틴을 보긴 했지만, 읽기가 매우 까다롭습니다. 복잡한 코드를 경우에 맞춰 나누려면 세심한 주의가 필요합니다.

조건에 딱 부합하는 경우를 만나면 보호 구문을 넣어 코드를 정리하세요.

```
if (조건)
    ...루틴의 나머지 모든 코드...
```

정리하고 싶은데 정리할 수 없는 코드가 보입니다.

```
if (조건)
    ...코드...
...다른 코드...
```

처음 두 줄을 도우미^{helper} 메서드로 추출한 다음에 보호 구문으로 코드를 정리할 수도 있지만, 항상 그리고 반드시 작은 단계를 거쳐 코드를 정리하세요.

다음에 예시가 있습니다.

- *https://github.com/Bogdanp/dramatiq/pull/470*

안 쓰는 코드

지워 버리세요. 그게 다입니다. 실행되지 않는 코드라면 그냥 지웁니다.

안 쓰는 코드를 지운다는 것은 매우 낯설게 느껴질 수 있습니다. 물론, 이 코드를 작성하느라 노력한 사람들도 있었을 테고, 조직도 이를 위해 투자했을 테니까요. 이 코드가 가치를 지니기 위해 필요한 일은 누군가 그 코드를 다시 호출하는 일입니다. 다시 필요하게 되면, 삭제한 것을 나중에 후회할 수도 있겠죠.

코드 정리를 시작한 독자 여러분, 제가 방금 설명한 것에서 여러분이 직접 인지적 편향을 식별해 보시길 바랍니다.

때로는 안 쓰는 코드 찾기가 쉬울 수도 있지만, 더러는 쉽지 않을 때도 있습니다. 리플렉션[1]을 여러 번 사용한 코드가 그렇습니다. 만약에 코드가 쓰이고 있지 않다고 생각되면, 로그를 활용해 지우고 나서 다시 실행해서 확인해 보세요. 사용자에게 배포한 후에 확신이 설 때까지 기다려 보세요.

"지웠다가 나중에 필요할 경우 어떡하지?"라고 말할 수도 있습니다. 이런 걱정이라면 바로 형상 관리 도구가 해결해 줍니다. 형상 관리 도구를 쓴다면 실제로는 아

---

1 옮긴이_ 리플렉션이란 실행 중인 프로그램인 프로세스가 스스로 구조와 행동을 조사하여 구동 중에 이를 변경할 수 있는 능력을 의미합니다.

무엇도 문제 될 게 없거든요. 그러니 지웠다고 너무 걱정하지 않아도 됩니다.

만약에 (긴 조건이 이어집니다)

1) 많은 코드가 있는데

2) 당장 사용하지 않지만

3) 미래에 사용하길 원하고

4) 원래 작성된 방식과 정확히 동일한 방식으로

5) 여전히 작동하는 경우라면

네. 다시 가져올 수 있습니다. 혹은 그 대신 그냥 다시 작성하는 편이 더 나을 수도 있습니다. 어쨌든 최악의 상황이 오더라도 언제든 되돌릴 수 있습니다.

항상 그렇듯이 각 정리 과정에서는 코드를 '조금만' 삭제하세요. 그렇게 하면, 설마 잘못 고친 것으로 뒤늦게 밝혀져도 비교적 쉽게 복구할 수 있습니다(28장 참조). '조금'은 여러분의 판단에 따릅니다. 코드 줄 수를 세라는 것이 아닙니다. 예를 들어 조건 내용을 택하여 true로 줄일 수 있고, 루틴 하나, 파일 하나, 디렉토리 하나 정도로 해 나갈 수 있습니다.

CHAPTER

대칭으로 맞추기

03

코드는 마치 유기체처럼 성장합니다. 물론 일부 사람들은 '유기적^{organic1}'이라는 말을 경멸하기도 하지만, 제 생각은 다릅니다. 필요한 모든 코드를 한꺼번에 작성할 수는 없으니까요. 그것은 아무것도 배우지 못했을 때나 호언장담할 수 있는 일이죠.

코드가 유기체로 성장하면, 같은 문제라도 시대와 사람에 따라 다른 모습으로 해결됩니다. 자연스러운 일이지만, 이것은 코드를 읽기 어렵게 만들기도 합니다. 읽는 입장에서는 일관성이 중요하거든요. 패턴이 보일 경우, 진행되는 것을 알 수 있으니까 확신을 가지고 바로 결정할 수 있죠.

초기화 지연^{lazy initialization2}으로 예를 들어보겠습니다. 다음 코드를 보면 foo()가 서로 다른 방식으로 작성된 것을 볼 수 있습니다.

```
foo()
    return foo if foo not nil
    foo := ...
    return foo
```

1   옮긴이_ 관계로 얽힌 사람들의 일상 변화를 반영하며 자연스럽게 성장하는 코드의 양상을 의미합니다.
2   옮긴이_ 초기화 지연 혹은 지연 초기화(lazy initialization)는 프로그램 실행 과정에서 변수 초기화를 위해 사전에 별도 준비가 필요하거나 하는 것과 같은 이유로 변수 선언 즉시 초기화 하지 않게 하는 최적화 기법을 말합니다.

```
foo()
    if foo is nil
        foo := ...
    return foo

# 기교를 가한 코드
foo()
    return foo not nil
        ? foo
        : foo := ...

# 할당문이 수식이면 더욱 까다로움
foo()
    return foo := foo not nil
        ? foo
        : ...

# 조건이 잘 드러나지 않은 수준의 코드
foo()
    return foo := foo ¦¦ ...
```

(더 많은 변형을 찾아보거나 만들어 보세요)

각각의 코드가 뜻하는 바는 '아직 계산하지 않았다면 foo의 값을 계산하고 임시 보관하세요'입니다. 각자 장단점이 있는 코드입니다. 한가지 패턴의 코드는 읽다 보면 그 방식에 금방 익숙해집니다. 두 가지 이상의 패턴을 섞어 쓰면 혼란스러워집니다. 코드를 읽을 때 기존과 다르다면 '다른 동작의 코드겠지'라고 예단하겠죠. 여기서 차이가 있다 보니, 같은 일임에도 다른 일인 것처럼 뜻이 흐려집니다.

한 가지 방식을 선택해서 정합니다. 다른 방식으로 작성한 코드를 선택한 방식으로 고칩니다. 초기화 지연으로 계속 예를 들면, 한 번에 하나씩 선택한 방식과 다른 방식으로 작성한 코드를 정리합니다.

때로는 공통성이 있는데도 세부 사항에 묻혀 드러나지 않습니다. 비슷해 보이지만 같지 않은 루틴을 찾아냅니다. 그리고 나서 같은 부분들 속에 다른 부분이 끼어 있다면 분리합니다.

04

새로운 인터페이스로
기존 루틴 부르기

루틴을 호출해야 하는데 기존 인터페이스 때문에 어렵거나, 복잡하거나, 혼란스럽
거나, 지루해지곤 합니다. 이 모든 경우에 호출하고 싶은 인터페이스를 새롭게 구
현해서 호출하세요. 새로 만든 인터페이스는 그저 기존 인터페이스를 호출하는 것
으로 구현할 수 있습니다(기존 인터페이스를 호출하는 코드를 새 인터페이스를
호출하도록 모두 이전한 후에는 이전 인터페이스를 제거하고 새 인터페이스가 직
접 루틴을 구현하도록 변경할 수 있습니다).

이처럼 새롭게 구현한 통로 인터페이스^{pass-through interface}는 소프트웨어 설계에서 작
은 단위로 중추적 역할을 합니다. 어떤 동작을 변경해야 할 때가 왔을 때, 통로 인
터페이스를 이용해 설계를 했다면 변경하기가 한층 더 수월합니다. 그러니 이와
같이 설계하는 것을 권합니다.

다음의 경우에도 통로 인터페이스 적용 때와 비슷한 느낌[1]을 받을 것입니다.

- **거꾸로 코딩하기**: 루틴의 마지막 줄부터 시작해 보세요. 이때는 마치 마지막 줄에 이르기
  까지 필요한 결과는 모두 확보한 듯이 짜는 거죠.

---

1 옮긴이_ 저자에게 확인한 결과 비슷한 느낌은 변경을 하고 나면 변경이 더 쉬워지는 느낌을 뜻했습니다.

- **테스트 우선 코딩**: 테스트부터 작성하여 통과 요건을 정합니다.
- **도우미 설계**: 만일 나에게 특정 업무를 해 주는 루틴, 객체, 서비스가 있다면 나머지 작업은 쉬워집니다.

05

읽는 순서

지금 파일을 열어 코드를 읽고 있다고 가정합니다(소스 코드가 파일에 속하는지 여부에 대한 논쟁은 다음 기회로 미루고요). 코드를 읽다가 파일의 마지막 부분에 이르러서야 전체를 이해하는 데 요긴한 세부 사항을 만난다고 생각해 보세요.

읽기 좋은 순서로 다시 정렬하면, 그 순서대로 코드를 만날 수 있습니다(여러 사람이 작성한 내용을 서로 보게 된다는 사실을 기억하세요).

여러분이 코드를 읽을 때는 독자의 입장이 되어 보세요.

다른 코드 정리 작업을 함께 하고픈 유혹이 오더라도 뿌리치세요. 읽어 가면서 이해나 변경을 어렵게 하는 세부 사항들도 주목했을 텐데, 나중에 이들을 정리할 때가 있습니다. 다른 대안으로, 지금 발견한 세부 사항을 정리하고, 읽는 순서로 만드는 일은 다음 정리에서 하면 됩니다. 섞으면 안 되고요.

언어에 따라서는 요소를 선언하는 순서에 민감하게 반응하는 경우도 있습니다. 즉, 함수 A와 함수 B의 선언 순서를 바꾸기만 해도 실행 결과가 달라집니다. 이러한 언어에서는 주의해야 합니다. 되도록 전체 파일의 순서를 바꾸는 대신에, 읽는 순서가 영향을 크게 주는 것들부터 바꾸세요.

완벽한 순서는 없습니다. 때로는 기본 요소를 먼저 이해한 다음 구성 방법을 이해하고 싶을 때가 있고, API를 먼저 이해한 다음 세부 구현을 이해하고 싶을 때도 있습니다. 여러분 스스로가 코드를 읽어 왔을 테니 최근 경험을 살려 판단하세요. 어떤 순서의 코드가 제일 좋은가요? 코드를 읽는 다음 사람에게 그렇게 정렬된 코드를 선물하세요.

응집도를 높이는 배치

코드를 읽다가 변경해야 할 동작을 찾았더니 여러 곳에 흩어져 있는 코드를 함께 바꿔야 한다는 걸 알면 불편한 감정이 일어납니다. 그럴 때는 어떻게 해야 할까요?

코드의 순서를 바꿔서 변경할 요소들을 가까이 두면 됩니다. 이 정리 방법은 하나의 파일 속에는 다음과 같이 해당합니다. 두 루틴에 결합도가 있으면 서로 옆에 두세요. 한편, 같은 디렉토리에 들어있는 파일에도 적용할 수 있습니다. 두 파일에 결합도가 있으면 같은 디렉토리에 넣습니다. 코드 저장소 너머 작동할 수도 있습니다. 결합도가 있는 코드를 같은 코드 저장소에 넣은 후 변경하세요.

왜 결합도를 제거하지는 않는 걸까요? 결합도를 제거할 수 있다면 그렇게 하세요. 다음 가정을 보면, 그것이 가장 좋은 코드 정리법입니다.

결합도 제거decoupling **비용 + 변경 비용 < 결합도**coupling**에 따른 비용 + 변경 비용**

하지만 여러 가지 이유로 결합도 제거가 어려울 수 있습니다.

- 당장 어떻게 해야 할지 모른다면 결합도 제거가 곤란할 수 있습니다.
- 할 수 있더라도 지금 당장은 시간적 여유가 없다면 결합도 제거는 부담스러운 시간 투자가 됩니다.

- 팀이 이미 충분한 변경을 수행하고 있다면 결합도를 제거하는 일이 팀원 간의 잠재적 갈등[1]으로 번질 수 있습니다.

스위스 치즈처럼 여기저기 코드가 구멍 난 듯 흩어진 채로 두고 동작 변경에만 매달리지 마세요. 응집도를 높이는 순서로 정리하면, 코드를 더 쉽게 변경할 수 있습니다. 때로는 응집도를 조금 개선해서 코드가 명확해지면, 결합도 제거를 막고 있던 장막이 걷힐 수도 있습니다. 그리고 응집도가 좋아지면 결합도 역시 덩달아 좋아집니다.

---

1 옮긴이_ 갈등에 대해 저자에게 물어본 결과 다음과 같이 답했습니다. '때때로 팀이 이미 화가 난 상태일 수 있습니다. 최근에 설계가 얼마나 바뀌었는지를 따지면서 말이죠. 팀이 많은 변화를 받아들이기 위해서는 그전에 변화를 흡수할 시간이 필요합니다. 이런 경우라면 추가적인 변화를 도입하기 전에 기다리는 것이 좋습니다. 이런 내용은 두 번째 책에서 훨씬 더 자세히 다루겠습니다.'

선언과 초기화를 함께 옮기기

변수 선언과 초기화 위치는 종종 서로 떨어져 있기도 합니다. 보통 변수 이름에서 힌트를 얻어 프로그램에서 역할을 알게 되지만, 변수 초기화는 이름이 주는 의미를 더 강화합니다. 여러분이 코드를 읽는데, 타입이 포함된 선언과 초기화 코드가 떨어져 있기라도 하면 읽어 내기는 더 어려워집니다. 한참 뒤에야 초기화 코드를 보게 된다면, 이미 변수가 어떤 맥락에서 선언되었는지 잊어버릴지도 모르니까요.

이때 필요한 코드 정리가 있습니다. 다음과 같은 코드가 있습니다.

```
fn()
    int a
    ...변수 a를 사용하지 않는 코드
    a = ...
    int b
    ...변수 a를 사용할 수 있으나 변수 b를 사용하지 않는 코드
    b = ...a...
    ...변수 b를 사용하는 코드
```

초기화를 변수 선언 근처로 이동하여, 이 문제를 해결합니다.

```
fn()
    int a = ...
```

```
...변수 a를 사용하지 않는 코드
...변수 a는 사용하고 변수 b는 사용하지 않는 코드
int b = ...a...
...변수 b를 사용하는 코드
```

놀이하듯 순서를 옮겨 보세요. 변수를 사용하기 직전에 선언하고 초기화하는 경우와 함수 맨 위에 모든 변수를 함께 선언하고 이후에 초기화하는 경우 중에서 어느쪽이 코드를 읽고 이해하기 쉬울까요? 여기서 미스터리 작가가 되어서, 여러분이 작성한 코드를 읽는 사람의 경험을 상상해 보세요. 그리고, 누가 이 코드를 작성했는지 알 수 있도록 단서를 남겨 두세요.

변수와 변수에 값을 채우는 코드들의 순서를 이전 그대로 둘 수는 없습니다. 변수 사이에는 데이터 종속이 있음을 존중해야 합니다. 변수 a를 사용하여 변수 b를 초기화하려면, 변수 a를 먼저 초기화해야 합니다. 이와 같은 코드 정리를 실행할 때, 데이터 종속 순서도 함께 유지해야 합니다.

데이터 종속을 수작업으로 분석한다면, 결국 실수를 하게 될 것입니다. 구조만 개선하려고 하다가 실수로 동작까지 변경하게 될 수도 있습니다. 그래도 문제는 없습니다. 올바른 버전의 코드로 되돌리면 됩니다. 작은 단계로 작업하세요. 그 방식이 바로 코드 정리 방법입니다. 커다란 설계 변경은 어렵고 무섭죠? 더 작은 단계로 진행하세요. 그래도 무섭다면, 더 작게 하세요. 두려움을 느끼지 않는 수준의 바로 그 단계가 가장 좋은 수준입니다.

설명하는 변수

코드의 어떤 표현식들은 계속 성장합니다. 처음에는 작게 시작했더라도, 시간이 흐르면 코드는 반드시 커집니다. 그러다가 돋보기까지 동원해야만 무슨 내용인지 알게 되는 지경에 이릅니다.

어렵게 크고 복잡한 코드의 표현식을 이해했다면 전체에서 일부 표현식을 추출한 후, 표현식의 의도가 드러나도록 변수 이름을 만들어 할당해 보세요.

그래픽 코드에서 자주 보이는 예제를 보겠습니다.

```
return new Point(
    ...긴 표현식...,
    ...다른 긴 표현식...
)
```

이러한 표현식을 변경하기 전에 다음과 같이 코드 정리를 하면 설명하는 변수로 바뀝니다.

```
x := ...긴 표현식...
y := ...다른 긴 표현식...
return new Point(x, y)
```

또는 표현식 의미를 더 구체적으로 할 수도 있는데 예를 들면, 너비와 높이, 위쪽과 왼쪽, 뛰기와 오르기 따위를 변수명으로 쓰는 것입니다.

이 정리법은, 여러분이 힘들게 파악한 내용을 다시 코드에 넣는 것입니다. 이렇게 설명하는 변수를 적용하면 이제 표현식과 분리되었기 때문에 다음 번 코드를 변경할 때, 둘 중 하나만 읽으면 되니까 재빨리 변경할 수 있습니다.

언제나 그렇듯이, 코드 정리에 대한 커밋commit과 동작 변경에 대한 커밋은 분리해야 합니다.

설명하는 상수

코드를 읽다가 모르는 숫자를 볼 때가 있습니다. 혹은 같은 상수 문자열이 코드 전체에서 반복해서 나타나기도 합니다. 그러면, 상수가 무엇을 의미하는지 알아내야 합니다.

'상징적인 상수를 만드세요. 리터럴 상수^{literal constant}[1]로 사용된 곳은 상징적인 상수로 바꿉니다.'

프로그래머 초년 시절부터 이런 조언을 들어왔지만, 아직도 별 문제가 아니라고 생각하는 사람들이 있습니다.

```
if response.code = 404
    ...코드...
```

네, 잠시 비난의 목소리를 높였습니다. 하지만 우리는 코드를 어지럽힌 사람을 판단하려고 여기 있는 것이 아닙니다(전문가 팁: 그 대상이 우리 자신일 수도 있습

---

1   옮긴이_ 리터럴 상수 혹은 리터럴은 소스 코드에 기록된 값의 텍스트 표현을 의미합니다. 리터럴과 마찬가지로 값이 바뀌지 않는 제약이 있지만 변수처럼 고정 값 클래스 중 하나를 취할 수 있는 기호(symbol)를 써서 상수를 정의할 수 있습니다. 저자는 이를 상징적인 상수(symbolic constant)라고 썼습니다. 기호를 나타내는 영어 단어에 형용사형 어미가 붙으면 '상징적인'이라는 우리말로 바뀌지만, 기호와 상징은 제시된 문맥에서는 같은 뜻이라고 볼 수 있습니다.

니다). 먼저 코드 정리를 끝낸 후, 코드를 변경함으로써 우리 자신들을 보호하려고 모인 것입니다.

```
PAGE_NOT_FOUND := 404
if response.code = PAGE_NOT_FOUND
    ...코드...
```

다음 경우에는 주의하세요. 같은 리터럴 상수가 두 곳에서 나타날 때는 다른 의미로 쓰이는지 확인하세요. 그러니 다음과 같은 빈약한 의미를 가진 코드 정리는 도움이 되지 않습니다.

```
ONE = 1
...ONE... # 하나가 필요할 때 어디든 등장
```

먼저 코드를 읽고 이해합니다. 그런 다음 이해한 내용을 코드에 넣어두면 힘들게 기억하지 않아도 되겠죠.

이 코드 정리법에 뒤따르는 몇 가지 일들이 있습니다. 한번에 바뀌어야 하거나 함께 이해해야 하는 상수들을 한곳에 모아두고, 다른 이유로 묶인 변수들을 분리하는 후속 작업을 해야죠. 그러한 일들은 차차 알게 될 것입니다. 결합도와 응집도는 뒤로 하고, 일단 작업하세요.

10

명시적인 매개변수

변경하려는 코드를 읽는 중에 루틴에서 다루고 있는 일부 데이터가 명시적으로 전달되지 않는 것을 발견했습니다. 이런 경우 입력을 명확하게 하려면 어떻게 해야 할까요?

루틴을 나누세요. 앞부분에서 매개변수 값을 채운 후, 뒷부분에서 명시적으로 전달합니다.

맵^{map}에서 매개변수가 블록으로 전달되는 경우가 흔합니다. 이렇게 하면, 코드를 읽으면서도 어떤 데이터가 필요한지 알기 어렵습니다. 또한, 이후에 매개변수를 변경하여 암묵적으로 사용하는 일과 같은 끔찍한 남용의 길이 열립니다.

코드 예제를 보겠습니다.

```
params = { a: 1, b: 2 }
foo(params)

function foo(params)
    ...params.a... ...params.b...
```

foo를 나누면 명시적 매개변수 정리를 적용할 수 있습니다.

```
function foo(params)
    foo_body(params.a, params.b)

function foo_body(a, b)
    ...a... ...b...
```

명시적인 매개변수가 필요한 또 다른 경우는 중괄호가 여러 개로 둘러싸인 코드에
서 환경 변수를 사용하는 경우입니다. 매개변수를 명시적으로 드러나게 만든 다
음, 함수를 연쇄적으로 호출할 수 있게 준비하세요. 이렇게 만들면 코드는 읽기와
테스트, 분석이 쉬워집니다.

비슷한 코드끼리

모든 코드 정리 중에서 가장 단순한 정리법입니다. 긴 코드 덩어리를 읽다가 '아, 이 부분은 이렇게 하고, 저 부분은 저렇게 하는구나'라고 구분이 될 때는 두 부분 사이에 빈 줄을 넣어 분리합시다.

저는 이 코드 정리법을 좋아하는데, 매우 간단하기 때문입니다. 이것은 이 책 『켄트 벡의 Tidy First?』를 구성하는 철학의 일부입니다. 소프트웨어 설계가 큰일이 되면, 설계 작업을 아예 그만두고 싶은 위험에 직면합니다. 그러나 적절한 소프트웨어 설계는 변화를 가능하게 합니다. 작은 소프트웨어 설계로 변화를 좀 더 쉽게 만들 수 있습니다.

복리라는 멋진 개념이 있습니다. 소프트웨어 설계 또한 복리처럼 뒤따르는 소프트웨어 설계를 더 쉽게 만듭니다. 따라서 소프트웨어 설계는 양날의 검과 같습니다. 제대로 된 소프트웨어 설계는 유연성을 확보하지만, 그렇지 못한 경우는 자칫 변화 자체를 망각하고 소프트웨어 설계의 소용돌이에 빠질 수 있습니다. 이를 유의하세요.

관련 있는 코드를 뭉쳐두면 다양한 길로 나아갈 수 있습니다. 8장에서 다룬 설명하는 변수로 나아갈 수 있고, 12장에 다룰 도우미 추출 혹은 14장에서 다룰 설명하는 주석으로 코드 정리를 이어갈 수 있습니다.

도우미 추출

코드를 보다가 루틴 속 코드 중에서, 목적이 분명하고 나머지 코드와는 상호작용이 적은 코드 블록을 만날 때가 있습니다. 그 코드 블록을 추려내고, 도우미^{helper}로 추출한 후에 이름을 붙입니다. 이때, 도우미의 이름은 작동 방식이 아니라 목적에 따라 짓습니다.

리팩터링을 알고 계신 분들이라면, 이 정리법이 바로 '메서드 추출' 리팩터링임을 알아볼 것입니다. 코드 정리와 리팩터링을 실행할 때 자동화 도구가 없으면 힘듭니다. 그렇기 때문에 되도록 자동 리팩터링을 제공하는 개발 도구를 추천합니다. 지금은 21세기니까요.

도우미를 추출할 때, 몇 가지 특수한 경우를 언급하고 싶습니다. 하나는 큰 루틴 안에서 몇 줄을 변경해야 하는 경우입니다. 해당하는 줄들을 도우미로 추출하고, 도우미 안의 내용만 변경한 다음, 적절하다고 판단한 뒤에 도우미를 호출하는 문장에 반영하세요(보통 도우미에 맛을 들이면 즐거워져 여기저기 사용하게 됩니다). 다음 예제 코드를 보세요.

```
routine()
    ...그대로 두는 코드...
    ...바꾸려는 코드...
    ...그대로 두는 코드...
```

이렇게 바꿉니다.

```
helper()
    ...바꾸려는 코드...
routine()
    ...그대로 두는 코드...
    helper()
    ...그대로 두는 코드...
```

이미 책을 뒤까지 읽어 보신 분이시라면, 이 작업을 응집도 높은 요소 만들기로 이해하실 수 있을 것입니다. 그렇지 않더라도 걱정하지 마세요, 곧 읽게 될 것입니다.

도우미 추출의 또 다른 특수 사례는 시간적 결합을 표현하는 경우입니다(a()가 b()보다 앞서 호출되어야 하는 경우). 다음과 같은 코드입니다.

```
foo.a()
foo.b()
```

이럴 때는 다음처럼 바꾸세요.

```
ab()
    a()
    b()
```

도우미를 자주 쓰는 이유가 비단 애정 때문만은 아니지만, 여러분도 도우미를 만들다 보면, 몇 시간 혹은 몇 분 만에 다시 사용하고 싶어 하는 자신의 욕구를 발견할 겁니다. 이 과정에서 인터페이스는 문제를 생각하도록 이끄는 도구가 됩니다.

우리가 만든 설계 요소에 새로운 이름을 붙일 수 있을 때, 새로운 인터페이스가 떠오릅니다.

도우미는 필요한 모든 곳에서 사용할 수 있습니다. 도우미 사용은 또 다른 코드 정리에도 도움이 됩니다(도구에 따라서는 새로운 도우미가 적용될 수 있는 곳을 찾아 식별하고 변경까지 자동으로 해 줍니다. 하늘이 그 도구들에 축복을 내리시기를).

하나의 더미

때로는 코드가 여러 개의 작은 조각으로 나뉘어져 있기도 합니다. 이렇게 흩어져 있으면 코드를 전체적으로 이해하기가 어렵습니다. 필요한 만큼의 코드를 하나의 더미^{One Pile} 처럼 느껴질 때까지 흩어진 코드를 모으세요. 그리고 나서 깔끔하게 정리하세요.

코드를 만드는 데, 가장 큰 비용이 들어가는 일은 코드 작성이 아니라 읽고 이해하는 데 드는 비용입니다. 코드 정리를 선행하면 더 작은 조각 단위로 결합을 제거하는 길을 제시하여 응집도를 높일 수 있습니다. 이론적으로는 그렇고요. 실무적으로 말하자면 여러분이 한 번에 머릿속에 기억하고 있어야 할 코드의 상세 내용을 줄여줍니다.

작은 코드 조각을 지향하는 목적은 코드를 한 번에 조금씩 이해할 수 있도록 하는 것입니다. 하지만 때때로 이 과정이 잘못될 수 있습니다. 작은 코드 조각들이 서로 교류하는 방식은 코드를 더 알기 어렵게 합니다. 명확성을 되찾으려면, 먼저 코드를 한데 모아서 이해하기 어려운 부분은 추출해서 새롭게 정리해야 합니다.

다음 증상들을 찾아보기 바랍니다.

- 길고 반복되는 인자^{argument} 목록

- 반복되는 코드, 그 중에서도 반복되는 조건문
- 도우미에 대한 부적절한 이름
- 공유되어 변경에 노출된 데이터 구조

더 작은 조각을 지향한다고 말하면서, 동시에 하나의 더미로 만드는 일은 앞뒤가 맞지 않는 느낌이 들기도 합니다. 하지만 신기하게도 직접 해 보면 분명 만족을 느끼게 될 것입니다. 저도 작은 조각들 속에 들어 있는 코드를 이해하고자 갖은 애를 쓰다가 문득, 내 자신의 능력을 의심하는 데까지 이르기도 합니다. 이때, 저는 180도 방향을 바꿔서 모든 것을 한데 모으기 시작합니다(이 작업은 자동화된 리팩터링이 있으면 정말 도움이 되지만, 필요하다면 수작업으로도 합니다). 그때의 안도감이란 이루 말로 표현할 수 없을 정도입니다!

이제 더미가 커지면서 머릿속에 형상이 떠오르기 시작합니다. '이제야 알았다. 먼저 이걸 계산하고, 그걸 이용해서 저것을 계산하자! 왜 아무도 그 얘기를 해 주지 않았을까?' 이쯤 되면 책 제목에 있는 질문에 이르게 됩니다. 'Tidy First? 코드를 먼저 정리할까? 아니면 지금 눈에 보이는 것만 먼저 변경할까?'

설명하는 주석

코드를 읽다가 '아, 이건 이렇게 돌아가는 거구나!'라는 생각이 드는 순간을 아시죠? 바로 그 순간이 소중한 순간입니다. 기록하세요.

코드에서 명확하지 않은 내용만 골라 적으세요. 자신이 이 코드를 처음 읽는 사람이라고 가정해 보세요. 아니면 15분 전의 자신을 떠올려 보세요. 미리 알았더라면 좋았을 점은 무엇인가요? '다음은 네트워크 호출 횟수를 최대한 줄여야 하므로 다소 복잡해졌습니다'와 같이 기록할 수 있습니다.

나와 많이 다른 사람일지라도 특정한 누군가를 떠올리며 작성해 보세요. 컴퓨터 과학자로 구성된 팀 내 단 한 명의 생물학자라면 어떨까요? 그렇다면 당연해 보이는 내용이더라도 코드를 생물학적 맥락으로 설명하는 것이 좋습니다. 요점은 다른 사람의 관점에서 생각하고 예상되는 질문을 선제적으로 언급하려고 노력하는 것입니다.

파일 앞에 주석이 없는 경우, 설명을 추가하여 파일을 읽을 사람이 얻게 될 유용함을 미리 알려줍니다(고마워요. 알란 메르트너).

코드의 결함을 발견했다면, 그 즉시 해당 위치에 주석을 달아야 합니다. 예를 들어

// 새로운 경우를 한 개 더 추가하려면 ../foo를 반드시 변경해야 합니다. 같은 주석입니다. 물론 코드가 이런 식으로 결합되어 있는 것은 바람직하지 않습니다. 결국, 이를 제거하는 방법을 배워야 하겠지만, 그 때까지는 주석을 달아서 결합도 문제를 미리 지적해 두는 것이, 모래 속에 묻듯 그냥 두는 것보다 훨씬 나을 것입니다.

15

불필요한 주석 지우기

코드만으로 내용을 모두 이해할 수 있다면 주석은 삭제하세요.

코드를 작성하는 목적[1]은 다른 프로그래머에게 컴퓨터가 해야 할 일을 설명하는 데 있습니다. 주석과 코드는 작성할 때와 나중에 볼 때, 시간이 흐르고 나면 서로 맞지 않는 경우가 있습니다. 보통 원하는 것을 말할 때, 산문으로는 잘 설명할 수 있습니다. 하지만 시스템이 변경될 때 산문으로 쓴 내용이 여전히 정확한지 이중으로 점검할 수 있는 장치가 없고, 코드가 변경될 경우에는 원래 있던 주석이 불필요해질 수 있습니다.

가끔은 소통 의무에 대해 편협한 시각을 가진 이들이 모든 루틴에 주석을 달아야 한다는 식의 독단적인 규칙을 고집하기도 합니다. 그런 경우 다음과 같은 주석이 달립니다.

```
getX()
  # return X
  return X
```

---

1 옮긴이_ 코드는 컴퓨터에게 지시하는 용도가 1차 목표입니다. 그런데 저자는 코드를 정리해서 읽는 사람들도 이해하기 쉽게 하는 일이 결국 설계 행위라는 생각에 바탕을 두고 있습니다. 그렇게 보면 저자가 말하는 코드는 주석을 포함합니다.

이 주석은 혜택은 없고 비용만 발생시킬 뿐입니다. 그저 읽는 사람의 시간만 뺏습니다. 시간은 금인데 말이죠. 주석이 완전한 중복이라면 삭제하세요.

코드 정리는 종종 서로 연결되어 있습니다. 이전에 정리한 작업 결과가 남아있어 주석이 중복되기도 합니다. 예를 들어 원래 코드가 다음과 같다고 가정해 보죠.

```
if (generator)
    ...generator 설정을 위한 코드...
else
    # generator가 없다면 default 반환
    return getDefaultGenerator()
```

조건절에 보호 구문을 적용해 정리한 후에는 다음과 같이 바뀝니다.

```
if (! generator)
    # generator가 없다면 default 반환
    return getDefaultGenerator()

    ...generator 설정을 위한 코드...
```

처음에는 주석이 중복된 것은 아니었습니다. 하지만 바뀐 코드에서는 generator 가 빠졌으므로 그에 맞추어야 합니다. 이전 코드에서는 generator가 있었고, 설정이 필요하니까 여러 줄의 코드가 나오고, 뒤이어 주석이 있었죠. 코드를 정리하고 나서 보니, 주석은 코드 내용을 그대로 반복하고 있군요. 그러니 삭제합시다. 안녕[2].

2부에서는 연쇄 정리에 대해 설명하겠습니다.

----

2 옮긴이_ 원문에는 'Hasta la vista, auf wiedersehen, buh-bye.'와 같이 여러 나라 말로 작별 인사를 기술하고 있습니다.

관리

코드 정리는 여러분에게 초점을 둔 소프트웨어 설계입니다. 그래서, 여러분과 코드와의 관계 그리고 궁극적으로는 여러분 자신과의 관계를 다룹니다. 이 시리즈의 다음 책에서는 팀이 소프트웨어 설계를 함께 수행하는 방법과 이유에 대해 이야기할 것입니다. 그다음에는 프로그래머가 아닌 사람들과의 관계에서 소프트웨어 설계와 그 역할에 대해 이야기할 것입니다. 코드 정리는 괴짜의 자기 관리입니다.

코드 정리 작동 방법은 실천을 통해서 익힐 수 있습니다. 대부분 자동화된 지원은 필요하지 않습니다. 그래서 프로그래밍 환경에서는 자동화가 가능해진 지 수십 년이 지난 지금도 리팩터링에 대한 자동화된 지원은 많지 않습니다. 하지만, 항상 한 번에 조금씩이라면 괜찮습니다. 그렇게 소프트웨어 설계에 익숙해지기 바랍니다. 코드 정리는 리팩터링으로 가는 관문입니다.

코드 정리의 적용 대상을 파악하고, 코드 정리법을 적용한다고 해서 코드 정리를 마스터한 것은 아닙니다. 이 책의 제목은 물음표가 강조된 제목입니다. 코드 정리법을 적용할 수 있다고 해서 반드시 코드를 정리해야 한다는 뜻은 아니라는 점을 강조하고 싶었습니다.

2부에서는 코드 정리를 개인 개발 흐름에 맞추는 방법에 대해 설명합니다.

- 코드 정리는 언제 시작하나요?
- 코드 정리는 언제 멈추나요?
- 코드의 구조를 변경하는 코드 정리와 시스템의 동작 변경을 어떻게 결합할 수 있을까요?

먼저 정리가 풀 리퀘스트(PR) 및 코드 검토와 어떻게 연관을 맺는지에 대해 논의해 보겠습니다.

16

코드 정리 구분

지금은 풀 리퀘스트(PR)/코드 검토 모델을 사용한다고 가정하겠습니다(나중에 다른 대안에 대해서도 설명하겠습니다). 코드 정리는 어디서 해야 할까요?

볼썽사나운 모습이 이어지는 한 가지 사례입니다.

1. 동작 변경 코드와 함께 제가 만든 코드 정리 내용을 넣습니다.
2. 검토하던 사람들이 제가 만든 PR이 너무 길다고 불평합니다.
3. 제가 만든 코드 정리 내용을 분리해서, 동작 변경 PR 앞이나 뒤에 둡니다.
4. 검토하는 사람들이 코드 정리만 담긴 PR에 대해 무슨 의미로 만들었는지 모르겠다고 불평합니다.
5. 다시 1로 돌아갑니다.

코드 정리를 하지 않는다면 모를까, 코드 정리를 하면 어딘가에서는 처리해야 합니다. 그러면 어디서 해야 할까요? 요약하면, 코드 정리는 별도의 PR로 만들고, 가급적 PR당 몇 개의 코드 정리만 넣습니다.

이제 코드 정리 구분에 대한 장단점을 좀 더 자세히 살펴봅니다. 코드 정리를 배우는 사람들은 예상되는 단계들을 거치게 됩니다. 첫 단계에서는 그냥 변경 작업을 하는 즉, 변경을 구분하지 않은 상태에서 다수의 변경을 반영하기 시작합니다(그림 16-1).

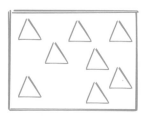

그림 16-1 다양한 변경 필요성을 구분하지 않은 상태에서 변경 시도

예를 들어, if 문을 변경하는 도중에 이름이 잘못되었다는 것을 깨닫고 이름을 변경한 후 다시 if 문으로 돌아가는 경우를 생각해 봅시다. 변경은 변경을 낳습니다.

코드 정리를 한다는 것은 [그림 16-2]와 같이 현미경으로 그림을 들여다보다가 초점을 맞추는 것과 비슷합니다(B = 동작, S = 구조). 변경 대상 중에는 프로그램 동작 변경이 있습니다. 이러한 변경은 프로그램을 실행하면서 찾아낸 것입니다. 반면, 어떤 변경은 프로그램 구조 변경입니다. 이런 종류의 변경은 코드를 자세히 살펴봐야만 관찰할 수 있습니다.

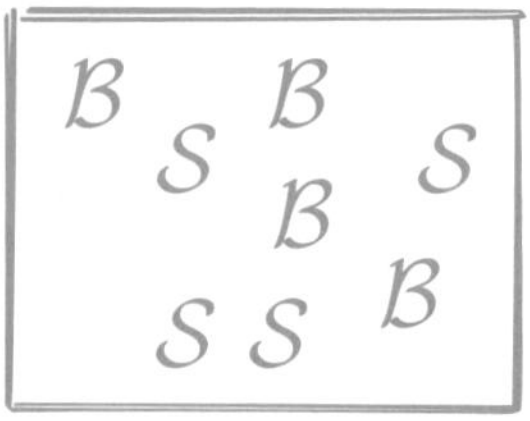

그림 16-2 동작 변경과 구조 변경

이 시점에서는 아직 계획도 없고, 바뀌는 동작 변경과 구조 변경 사이에 어떤 흐름도 없습니다. 서로 다른 두 가지가 함께 작용하고 있다고 이제 막 인식했을 뿐입니다.

이 과정이 조금 지나면 공통 흐름을 알아채기 시작합니다. 비슷한 코드끼리 정리하면 설명하는 도우미가 드러나고, 설명하는 도우미를 만들면 이어지는 동작 변경이 훨씬 쉬워집니다. 이렇게 되면 프로그래밍이 체스와 비슷해져서 게임이 어떤 순서로 전개될지 보이고, 몇 수 앞을 짐작할 수 있습니다(그림 16-3).

그림 16-3 순서를 부여한 동작 변경과 구조 변경

다만 아직 큰 PR 한 개에 섞여 있을 뿐임을 주의합니다. 우리는 아직 이 장의 맨 앞에서 설명한 반복 과정에서 1단계에 있습니다. 한 수씩 둘 때마다 다분히 의도적으로, 쉽게 변경하던가 또는 변경하기 쉽게 만들던가, 둘 중 하나를 목표로 삼는 것이 좋습니다. 하지만 지금처럼 모든 것을 한꺼번에 모아 놓으면 쉽게 엉망이 되어 버립니다. 그렇게 되면 검토자들을 일단 주저하게 만듭니다.

그러니 우리는 변경 사항을 나누어 별도의 PR로 만들어야 합니다. 순서가 있는 일련의 코드 정리는 (심지어 하나의 정리만 있더라도) PR 한 개로 만듭니다. 동작 변경 역시 별도의 PR로 만듭니다. 코드 정리와 동작 변경 사이를 번갈아 가면서 전환할 때마다 새 PR을 열어야 합니다(그림 16-4).

그림 16-4 별도의 PR에 포함된 동작 변경과 구조 변경

이렇게 PR을 나눌지 또는 한 개의 PR로 처리할지는 장단점이 있는 선택입니다. 무엇이 더 이로울지 생각해 보세요. 크고 포괄적인 PR로 만들면 전체 그림을 보여주지만, 검토하는 입장에서는 유용한 피드백을 제공하기에는 너무 큰 덩어리일 수 있습니다. 반대로 아주 작은 PR은 소소한 피드백을 유도할 수 있지만, 잡초처럼 무시될 우려가 있습니다.

작은 PR은 보통 검토 시간 단축으로 환영 받습니다. 코드를 신속히 검토할 수 있으므로, 더 작은 PR을 만들도록 동기부여가 되기도 할 것입니다. 또한, 초점이 분명할수록 PR은 더 빠른 검토를 장려합니다. 이와 마찬가지로, 이렇게 강화된 반복

절차가 후퇴하는 경우도 있는데, 대체로 코드를 느리게 검토한다면, 더 큰 PR을 만드는 결과를 초래하여, 향후 검토를 더욱 느리게 만듭니다.

코드 정리에 익숙해지고, 작은 단위로 작업하고, 절대적으로 안전하게 작업하는 데 익숙해지면, 용기를 내서 코드 정리 PR을 따로 검토하지 않는 시도를 해 보세요. 그러면 대기 시간이 추가로 줄어들어, 더욱더 작게 PR을 만들도록 장려하는 효과가 생길 겁니다.

연쇄적인 정리

코드 정리는 자꾸 손이 가는 감자칩과 같습니다. 한 개를 먹으면 바로 또 먹고 싶어집니다. 따라서 코드를 계속 정리하고 싶은 충동을 관리하는 것도 코드 정리의 핵심 기술입니다. 방금 정리했는데 더 정리해도 될까요? 상황에 따라 다릅니다(3부에서 어떻게 달라지는지 설명하겠습니다).

단계의 크기는 본인이 알아서 하겠지만, 제가 권하는 것은 아주 작은 단계로 나누어 코드를 정리하는 방식을 고수하면서 실험해 보는 것입니다. 그러면서 각 단계를 최적화하세요. 밖에서 보면 그저 빠르게 달리는 것처럼 보이지만, 여러분은 지네처럼 작은 발걸음을 차례차례 내딛을 수 있게 말이죠.

코드 정리를 일종의 체스 게임이 되어, 다음 수를 내다볼 수 있게 됩니다. 코드 정리를 하고 난 후에는 다음 수를 두는 것처럼 다음에 어떤 정리를 할지 살펴봅시다.

보호 구문

보호 구문을 넣어 코드를 정리하고 나면, 조건이 설명하는 도우미로 드러나거나 설명하는 변수 추출을 돕는 혜택을 얻습니다.

안 쓰는 코드

사용하지 않는 코드 더미를 제거하고 나면, 코드를 읽는 순서에 맞춰 정렬하는 방법과 응집도를 높이는 배치가 보일 것입니다.

대칭으로 맞추기

같은 코드와 다른 코드를 일치시켜 대칭으로 맞추다 보면, 매우 유사한 코드들이 묶여진 순서대로 읽을 수 있습니다. 저는 이전에 여러 개의 웹 진입점이 포함된 파일에서 이 작업을 수행한 적이 있습니다. 비슷해 보이는 코드들이 있었고, 자연스럽게 모두 모아서 파일 상단에 배치했습니다. 그랬더니 나머지 코드에 대한 일종의 목차 형태가 되었죠.

새로운 인터페이스로 기존 루틴 부르기

멋지게 새 인터페이스를 만들고 나면 바로 사용하고 싶지만, 자동으로 호출 코드를 바꿔주는 개발 도구가 없다면, 한 개씩 일일이 변환해 줘야 합니다. 또한, 호출하는 모든 코드를 변환할 수 있는 자동 재작성 도구가 없는 경우에도 한 번에 하나씩 변환해야 합니다. 이것은 우리가 처음으로 본 팬아웃 현상[fanout1]이었죠. 하나를 정리하면 한 다발의 정리가 이어지고, 뒤이어 각각의 정리가 또 다발로 이어졌죠 (결합도와 멱법칙을 이야기할 때 더 살펴보겠습니다).

읽는 순서

읽는 순서를 정리하고 나면, 대칭으로 맞출 기회가 생길 수 있습니다. 너무 멀리 떨어져 있어 유사한 줄도 몰랐던 요소들이 읽는 순서 정리로 드러나는 것이죠.

---

1   옮긴이_ 팬아웃은 논리회로에서 하나의 논리 게이트의 출력이 얼마나 많은 논리 게이트의 입력으로 사용되는지에 대해 서술할 때에 쓰이며, 팬아웃이 크다는 말은 하나의 출력이 많은 논리게이트의 입력으로 사용된다는 뜻입니다.

응집도를 높이는 배치

응집도를 높이는 배치로 함께 묶인 요소는 하위 요소로 추출할 후보가 됩니다. 예를 들어 도우미 객체를 만드는 것은 코드 정리를 넘어서는 일이지만, 정리에 익숙해지고 자신감이 생기면, 더 큰 규모로 설계 변경을 할 수 있고, 뒤따르는 동작 변경들은 더 쉬워지겠죠.

설명하는 변수

할당하는 문장에서 좌변이 설명하는 변수라면, 그에 대응하는 우변은 설명하는 도우미 후보일 수 있습니다(나중에 도우미 추출로 인해 변수가 흡수되어 사라질 수도 있습니다). 변수 이름으로 알 수 있는 설명 덕분에 불필요한 주석이 드러나 삭제할 수 있습니다.

설명하는 상수

설명하는 상수 정리는 응집도를 높이는 배치를 이끕니다. 한 번에 바뀌는 상수를 모아서 묶어 놓으면 나중에 바꾸기 좋습니다.

상수를 어디에 배치하고 어떻게 배열할지에 대한 저의 철학이 있지만, 여기서는 다루지 않겠습니다. 지금은 그저 작업을 쉽게 하는 방법을 고르세요. 더 쉬운 것으로.

명시적인 매개변수

매개변수를 명확하게 드러나게 만들면, 매개변수 집합을 묶어 객체로 만들고 코드를 옮길 수 있습니다. 이것은 코드 정리를 넘어서는 것이지만, 코드를 정리하면서 새로운 추상화가 도출될 수 있는지 계속 주목하는 것이 좋습니다. 가장 강력한 추상화는 대체로 실행 중인 코드에서 발견하게 되기 때문이죠. 그것들은 추측으로는 결코 만들 수 없습니다.

비슷한 코드끼리

코드 덩어리 앞에 설명하는 주석을 붙일 수 있습니다. 코드 덩어리를 설명하는 도우미로 바꿀 수도 있죠.

도우미 추출

도우미 추출 후에는 보호 구문을 도입하거나 설명하는 상수, 설명하는 변수를 추출할 수도 있고, 불필요한 주석을 지울 수도 있습니다.

하나의 더미

코드가 모여서, 크고 명백하게 엉망인 모습이 보이면, 비슷한 코드끼리 정리, 설명하는 주석 정리, 도우미 추출 따위의 방법을 기대할 수 있습니다.

설명하는 주석

설명하는 변수나 설명하는 상수, 설명하는 도우미 따위의 도입으로 가능하다면, 주석에 있는 정보를 코드로 옮깁니다.

불필요한 주석 지우기

불필요한 주석에서 오는 잡음만 없애도, 읽는 순서를 개선하는 데 도움을 주고, 명시적인 매개변수를 쓰는 기회가 찾아옵니다.

주석 반대론자라는 비난을 받을까 봐 다시 한번 강조하지만, 절대적으로 완전히 중복된 주석만 삭제해야 합니다. 또한, 주석을 오직 모두 필요한 내용으로만 정리해야 합니다. 소프트웨어 설계자로서 여러분의 임무는, 현재와 미래에 대비해 자신과 팀이 성공할 수 있도록 준비하는 일입니다.

소프트웨어 개발에서 변경은 가장 많은 비용이 들어갑니다. 변경 중에서도 코드를 이해하는 일에 가장 비용이 많이 들어갑니다. 따라서, 작동하는 코드의 구조와 의도에 대해 잘 소통하는 것이야말로 여러분이 익혀야 할 가장 가치 있는 기술입니다. 주석은 의사소통의 한 형태이긴 하지만, 코드 정리는 다른 프로그래밍 요소들의 도움을 받아, 의사소통이 어디까지 가능한지 나아갈 수 있게 해 줍니다.

결론

코드 구조를 대대적으로 바꾸려고 코드 정리를 시작하는 경우가 많습니다. 너무 많이, 너무 빠르게 변경하지 않도록 주의하세요. 대개 작은 정리를 순차적으로 성공하는 것이 무리한 정리로 실패하는 것보다 시간을 아껴줍니다. 악보의 음표를 다루듯 코드를 정리하는 연습을 하세요. 음표가 깨끗하고 편안할 때 이를 이용해서 더 좋은 멜로디를 만들 수 있습니다.

18

코드 정리의 일괄 처리량

통합과 배포를 하기 전에 코드 정리는 어느 정도 크기가 적절할까요?

몇 가지 고려해야 할 사항이 있습니다.

- 통합과 배포를 하기 전에 얼마나 많은 코드 정리를 해야 할까요? 즉, 코드 정리를 다음 동작 변경을 돕는 구조 변경으로 본다면, 다음 동작 변경을 지원하기 위해 얼마나 많은 구조 변경이 필요할까요? 기본적으로 코드 정리는 먼 미래를 바라보는 것이 아니기 때문에 즉각적인 필요를 다뤄야 합니다(이에 대해서는 21장 코드 정리 시점에서 더 자세히 설명하겠습니다).
- 코드 정리의 크기가 어느 정도일 때 쉽게 통합하고 배포할 수 있을까요?

16장에서는 코드 정리와 동작 변경을 섞지 않는 것에 대해 설명했습니다. 하지만 모든 코드 정리를 한꺼번에 할 것인지, 아니면 모두 개별적으로 할 것인지, 아니면 그 중간을 택할 것인지에 대한 의문은 여전히 남아 있습니다(그림 18-1).

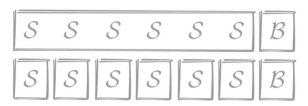

그림 18-1 구조 변경을 한꺼번에 처리하는 경우와 개별로 나눠 처리하는 경우

이로 인해 골디락스[1] 딜레마로 알려진 타협점이 필요한 상황을 만나게 됩니다. 일괄 처리하는 코드 정리가 너무 많은 경우와 너무 적은 경우 그리고 적절한 경우의 범위를 판단할 때, 고려할 만한 비용은 무엇일까요(그림 18-2)?

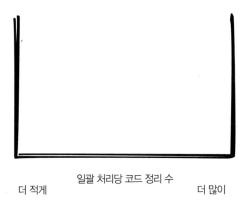

일괄 처리당 코드 정리 수

더 적게   더 많이

그림 18-2 일괄 처리에 포함할 코드 정리 개수에 따른 상충 관계

[그림 18-3]은 일괄 처리하는 코드 정리가 늘어날 때 비용을 보여줍니다.

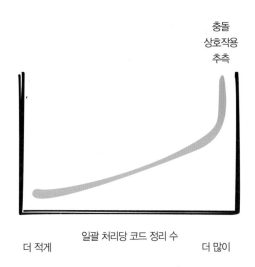

충돌
상호작용
추측

일괄 처리당 코드 정리 수

더 적게   더 많이

그림 18-3 일괄 처리 규모 증가에 따른 비용 증가

---

1   옮긴이_ 골디락스라는 말의 어원은 〈골디락스와 곰 세마리〉라는 동화에서 비롯되었습니다. 골디락스라는 어린 소녀가 세 그릇의 죽을 맛보면서 너무 뜨겁지도 너무 차갑지도 않고 온도가 딱 맞는 죽을 좋아한다는 이야기입니다.

여기에는 다음이 포함됩니다.

충돌

일괄 처리하는 코드 정리 작업이 많을수록, 통합 과정에서 지연 시간이 길어지고, 코드 정리 작업이 다른 사람의 진행 중인 작업과 충돌할 가능성도 커집니다. 코드 병합 과정에서 충돌이 발생할수록 작업을 병합하는 비용 또한 큰 폭으로 증가합니다(이 모든 '수치'들은 그 자체로 의미가 있지는 않고, 방향성을 보여주는 용도일 뿐입니다. 직관을 기르는 데 도움을 주죠.).

상호작용

마찬가지로, 다수의 코드 정리를 한번에 처리하다가 우연히 동작 변경을 할 수도 있습니다. 마찬가지로 코드 정리 사이에 상호작용이 있으면 병합 비용은 급격히 증가합니다.

추측

앞서 다음 동작 변경에 도움이 될 만큼만 코드 정리를 하는 것이 좋다고 말했습니다. 하지만, 한 번에 처리하는 코드 정리가 많을수록 자연스럽게 더 많은 코드를 정리하게 됩니다. 그로 인해 예상치 못한 추가 비용이 발생합니다.

이러한 요인으로 인해 보통 한 번에 처리하는 코드 정리 개수를 줄인 후 통합과 배치에 임합니다(여기서 통합과 배치 구분은 필요하지 않습니다). 하지만 여전히 대량의 코드 정리를 일괄로 처리하는 현장을 많이 볼 수 있습니다. 또 무슨 일이 일어나고 있는 걸까요? [그림 18-4]를 살펴보세요.

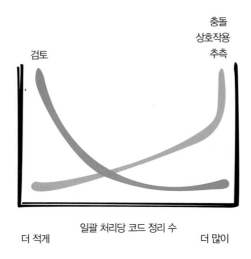

검토

충돌
상호작용
추측

더 적게　　　일괄 처리당 코드 정리 수　　　더 많이

그림 18-4 일괄 처리 규모 축소에 따른 검토 비용 증가

많은 조직에서 하나의 변경 사항을 검토하고 배포하는 데 드는 고정 비용은 상당히 많습니다. 프로그래머는 이러한 비용을 체감하기 때문에 충돌, 상호작용, 추측으로 인한 비용이 증가됨에도 타협점을 찾으려고 노력합니다.

그럼 대체 어떻게 해야 할까요?

어떤 이들은 이러한 비용 곡선을 개발 세상의 물리 법칙인 양 그저 받아들여야 하는 일로 다룹니다. 하지만 전혀 그렇지 않습니다. 코드 정리 비용을 줄이고자 한다면, 코드 정리 개수를 늘려서 동작 변경에 소용되는 비용을 줄이세요. 그러면, 검토 비용을 줄일 수 있습니다(그림 18-5).

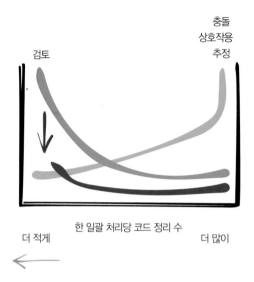

충돌
상호작용
추정

검토

더 적게   한 일괄 처리당 코드 정리 수   더 많이

그림 18-5 일괄 처리 규모를 줄이면 검토 비용이 줄고 코드 정리 비용도 줄어듭니다.

여러분과 여러분의 팀은 검토 비용을 제대로 줄일 수 있는 방법을 찾아야 합니다. 팀에 신뢰와 강력한 문화가 있다면 코드 정리 후에는 군이 검토할 필요가 없습니다. 검토하지 않더라도 코드 정리가 소프트웨어 안정을 해치지 않으면 상호작용의 위험이 줄어듭니다.

코드 정리 검토를 없앨 수준의 안전과 신뢰에 도달하려면, 적어도 몇 달이 걸립니다. 실천하고, 실험하세요. 오류를 팀과 함께 검토하세요.

리듬

처음으로 다시 돌아가 봅시다. 여러분은 향후 시스템 동작을 더 쉽게 변경하기 위해 코드 정리를 하고 있습니다. 여러분이 향후 동작을 더 쉽게 변경하려는 데는 그만한 가치가 있기 때문일 것입니다(반대하는 사람이 있다면, 나중에 경제성을 따져 설명하겠습니다). 우리가 지금 무슨 말을 하고 있는 걸까요? 코드 정리는 최소한만 하고 다시 동작 변경의 강행군으로 돌아가야 할까요? 아니면 한도 끝도 없이 코드 정리를 하는 행복한 시간을 만끽하자는 걸까요?

코드 정리를 관리하는 기술 중에는 정리의 리듬을 관리하는 일도 있습니다. 이전 장에서 우리는 다음 그림(그림 19-1)에서 묘사하는 대로, 코드 정리할 때 한번에 처리하는 규모를 작게 할 것을 권했습니다.

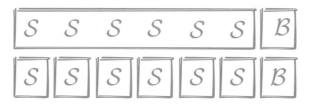

그림 19-1 구조 변경을 일괄 처리하는 경우와 개별 처리하는 경우

특정 동작 변경 이전에 수행한 일련의 구조 변경에 얼마나 많은 시간이 소요될까요?

소프트웨어 설계는 프랙탈^{fractal1}이므로 설계는 크게도 작게도 할 수 있습니다. 하지만, 이 책의 목적에 따라 소프트웨어 설계에 대한 한 가지 척도를 제시합니다. 바로 개인에게 영향을 미치는 소프트웨어 설계죠. 그래서 분 단위를 유지하되, 한 시간을 넘지 않습니다. 한 번의 코드 정리에 한 시간 이상이 걸린다면, 이는 원하는 동작 변경을 위해 필요한 최소한의 구조 변경 시기를 놓쳤다는 의미일 수 있습니다.

또 다른 가능성도 있습니다. 코드가 너무 엉망이라서 동작 변경에 앞서 몇 시간을 들여서라도 코드 정리를 선행하는 것이 더 유리할 수도 있습니다. 그 말이 사실이라 하더라도, 오래 지속될 수는 없는 노릇입니다. 소프트웨어 설계는 '길을 닦는' 일의 성격이 매우 강하기 때문입니다.

혹시 들어 보셨는지 모르겠지만, 이런 얘기가 있습니다. 한 대학에서 건물을 여러 개 지었는데, 기획자들은 건물을 거의 다 지었을 때에도 건물 사이에 통행로를 어디에 만들지 정하지 못했습니다. 그러나 그들은 시간을 들이면서 신중하게 추측하는 대신에 건물과 건물 사이의 모든 공간에 잔디를 심었습니다.

몇 달 후, 학생들이 밟고 다녀서 잔디밭이 닳아 없어진 부분이 생겨났습니다. 기획자들은 닳아 없어진 부분을 매끄럽게 포장했습니다.

동작 변경은 코드 안에 뭉쳐서 나타나는 경향이 있습니다. 파레토 법칙에 따르면 80%의 변경 사항이 20%의 파일에서 발생합니다. 코드 정리를 선행할 때, 탁월한 장점 중에는 코드 정리 내용도 뭉쳐진다는 것입니다. 그리고 코드 정리가 코드를 뭉친 결과는 정확하게 동작 변경하기에 가장 좋은 위치에서 뭉쳐져 있습니다.

처음에는 코드 정리를 많이 하는 경우조차 머지않아 이미 정리를 끝낸 코드로 동

---

1 옮긴이_ 작은 구조가 전체 구조와 비슷한 형태로 끝없이 되풀이되는 구조를 의미합니다. 설계의 특성이 아주 작은 시간 투여로도 할 수 있고 비교적 긴 시간을 투입할 수도 있어 절대적 기준을 제시하기 어렵지만, 어떤 단위로 실행하느냐에 따라 노력과 할 일의 차원이 달라질 수 있는 일이라고 이해할 수 있습니다.

작 변경을 진행하고 싶어 하는 자신을 발견할 수 있습니다. 그리고, 계속 코드 정리를 한다면, 대부분의 변경 작업은 이미 정리된 코드 안에서 이루어지게 됩니다. 결국 시스템에 있는 대부분의 코드에 손을 대지 않았음에도, 정리되지 않은 코드를 만나는 일이 급격하게 줄어듭니다.

그렇기 때문에 저는 코드 정리는 몇 분에서 한 시간 정도면 충분하다고 자신 있게 말할 수 있습니다. 예, 때로는 더 긴 경우도 있겠죠, 그러나 그리 길지는 않을 겁니다.

얽힘 풀기

여러분이 어떤 코드의 동작 변경을 하고 있다고 가정합시다. 이때, 변경을 쉽게 할 코드 정리를 알고 있습니다. 그래서, 코드 정리를 진행합니다. 그런 다음 새로운 테스트 케이스를 작성합니다. 이제 동작을 변경해야 합니다. 그랬더니 코드 정리할 곳이 더 생겼습니다. 이렇게 한 시간을 씨름하고 난 결과…

- 변경 대상인 동작을 모두 알게 되었고
- 그 동작들을 쉽게 변경하려면, 어떤 코드를 정리해야 하는지 모두 알게 되었으나
- 문제는 정리한 코드와 변경할 동작이 함께 얽혀 버렸습니다.

세 가지 선택이 있지만, 그 중 어느 것도 매력적이지 않습니다.

- 그대로 배포할 수 있습니다. 검토하는 사람들이 무례하다 느끼고, 오류가 발생하기 쉽지만 당장 처리할 수 있습니다.
- 코드 정리와 변경 사항을 별도의 하나 이상의 PR로 나누거나 하나의 PR을 여러 번의 커밋으로 나눌 수 있습니다. 이 방법으로 무례함은 줄일 수 있지만 작업 횟수는 늘어납니다.
- 진행 중인 작업을 버리고, 코드 정리를 선행하는 순서로 다시 시작할 수 있습니다. 이렇게 하면 작업은 더 많아지지만, 이어지는 커밋과의 일관성은 분명해집니다.

매몰 비용의 오류로 셋 중에 하나를 선택하는 일이 복잡해집니다. 이미 통과한 새로운 테스트가 몇 개 있는데, 그걸 왜 버려야 하나요?

대답은 항상 같습니다. 우리가 작성하는 코드는 컴퓨터에 지시할 뿐 아니라, 컴퓨터에 지시하려는 여러분의 의도를 사람들에게도 설명해야 하기 때문이죠. 컴퓨터에 지시만 하는 빠른 수행이 흥미로운 최종 목표가 되는 것은 아닙니다.

이쯤 되면 세 번째 선택지를 실험해 보라고 권하는 것이 그리 놀랍지 않을 것입니다. 다시 구현하면서 새로운 것을 발견할 가능성이 높아집니다. 그리고 동일한 동작 변경을 하면서도 더 많은 가치를 끌어낼 수도 있습니다.

실타래를 풀려면 실이 엉켜 있다는 사실을 알아차려야 시작할 수 있습니다. 따라서 실타래를 풀어야 할 필요성을 더 일찍 깨달을수록 작업량은 적어질 것입니다(전략을 놓고 취사선택할 때도 미리 할수록 중요성이 크지 않을 때 쉽게 정할 수 있습니다). 처음으로 코드 정리를 하기로 마음먹고 진행하다 보면, 먼저 정리할 것인지 나중에 정리할 것인지 고민하다가 코드 정리와 동작 변경 사이에서 전환 시점을 놓치기 일쑤일 겁니다. 즉, '순조롭게 코드를 고치고 있다'고 느꼈는데, 이내 '이런, 내가 뭘 한 거야?'라며 난감해질 수 있습니다. 그러나 걱정하지 마세요. 코드 정리와 동작 변경 사이의 선후 문제는 보통 시간이 지나면 해결될 테니까요.

'선후'에 대해 이야기했으니 이제 '시점'에 대해 이야기할 차례입니다.

21

코드 정리 시점

이제 코드 정리 시점에 대해서 논할 차례인데, 시스템의 동작 변경과 연관해서 보겠습니다. 코드 정리를 먼저 하고 나서, 동작 변경을 할까요? 아니면 동작 변경을 먼저 한 후, 코드 정리를 할까요? 아니면 이후 동작 변경에 어려움이 가중될 수 있으니 혼란스러운 부분을 메모로 남기고 정리는 나중으로 미룰까요? 그것도 아니면 아예 코드 정리를 하지 않으시겠습니까?

아예 안 한다면

코드 정리를 아예 하지 않는 마지막 선택부터 살펴보겠습니다. 항상 그렇듯이, 장단점을 살펴볼 필요가 있습니다. 언제 다음 같은 말을 할까요? "그래, 이건 엉망진창이지만, 이 코드는 변경하지 않기로 결정했어" 이 경우, 가장 그럴듯한 이유는 코드의 동작이 앞으로 바뀌지 않을 거라는 믿음입니다. 제가 이런 조건에 대해 언급한 이유는 코드의 동작을 변경할 필요가 전혀 없는 경우는 극히 드물지만, 실제로 일어나는 경우가 있기 때문입니다. 진짜로 변경이 필요 없는 시스템이라면 "고장 나지 않으면 고치지도 말자"는 말이 합리적으로 통하겠죠.

나중에 정리하기

어떤 사람들은 코드 정리를 미루는 일을 순수 환상이나 상상 속에만 존재하는 유니콘 또는 정직한 정치인으로 취급합니다. 하지만 제가 나중에 코드를 정리하겠다는 선택을 마치 정답처럼 여기는 이유는 지금 정리할 코드가 너무 많으니 언제 해도 상관없다는 논리입니다. 저는 여러분이 정말 나중에 정리해도 무방하다고 말씀드리고 싶습니다. 하지만 여러분 마음에 들지 않을 전제 조건이 있습니다.

일을 할 시간은 충분한가요? 단순히 충분한 시간이 있는지 묻는 것이 아닙니다. 물론, 없을 테니까요. 주어진 시간보다 할 일이 더 많은지 묻는 것도 아닙니다. 물론, 많을 테니까요. '시간이 충분하다면 어떻게 일할 것인가?'라고 스스로에게 물어보세요. 그 대답이 실제로 하고 있는 일과 크게 다르다면, 일할 시간이 충분하지 않다는 뜻입니다.

그러나 여러분이 일할 시간이 충분하지 않다고 말하는 가정을 면밀히 조사해 봤으면 좋겠습니다. 저는 규모가 크고, 성공적이며, 수명이 길고, 수익성이 높다는 모든 물증에도 불구하고, 여전히 일할 시간이 충분하지 않고 앞으로도 그럴 것이라고 믿는 대기업들과 함께 일해 왔습니다. 그렇기 때문에 이제는 이 가정이 마치 잘 날던 새가 물리 법칙에 의문을 품고, 갑자기 하늘에서 떨어지는 것처럼 기괴한 말로 들립니다.

일시적으로, 잠정적으로 업무를 처리할 시간이 충분히 주어진다면 어떻게 하시겠습니까? 나중에 정리할 목적으로 엉망인 코드 목록을 만들 수도 있습니다(제 취향을 이상하게 느끼실 수 있지만, 이 목록을 '재미 목록'이라고 부르겠습니다). 그러면 나중에 다음 기능 구현을 할 때 정신없는 코드 변경으로 허우적거리기보다는 재미 목록을 훑어보면서 '한 시간이 남았군. 큰일은 건드리지 말아야 하니까. 4번 항목부터 시작해 볼까?'라고 생각할 수 있습니다. 그리고 진행하면 되겠죠.

'정리는 나중에 하자. 그래도 되겠지. 해 보는 거야. 잘될 거야'

물론 먼저 코드 정리를 해 놓으면, 나중에 시스템 동작 변경을 더 쉽게 합니다(이 책의 3부에서 살펴볼 작동 원리를 통해). 시스템에서 반드시 변경할 거라고 보장할 정도면(**'보장'**이라는 강한 단어를 사용), 그 보편적 영역을 정리하는 것만으로 향후 변경을 단순화하는 가치가 창출됩니다.

정리를 나중에 하는 일, 다시 말해 지금 변경한 동작과 연결되지 않는 코드 정리를 나중에 하면 몇 가지 다른 방식으로 가치를 창출합니다. 한 가지는 지저분함 보유세tax of messiness를 줄이는 것입니다. 이전 API에서 새 API로 바뀌는 과정을 생각해 봅시다. 당장 영향을 받는 API 호출 코드는 변경했지만, 나중에 변경을 반영해야 할 곳이 100개 더 있습니다. 물론 변경을 모두 완료한 후에는 이전 API를 제거해도 됩니다. 하지만 그때까지는 새 API에 변경 사항이 발생하면, 거울처럼 이전 API에도 똑같이 반영해야 하는 불편함이 있죠.

호출하는 모든 코드를 정리하는 일은 무의미하지 않습니다. 새로운 API 전환에 따라 영향을 받는 코드 모두를 변경하고 나면, 어떤 클래스들은 변경하기가 훨씬 쉬워집니다. 코드를 정리해야 할 필요성은 크지 않지만, 당장 신발 안에 든 작은 조약돌을 빼내면 걸음을 더 잘 걸을 수 있게 되는 것과 같은 이치입니다.

코드 정리를 나중에 할 근거 중 다른 하나는 학습 도구로 활용하는 것을 들 수 있습니다. 코드는 자신이 어떻게 구조화되고 싶은지 '알고' 있습니다. 만약에 여러분이 코드에 귀 기울이면서 현재 구조에서 원하는 구조로 옮기다 보면 무언가를 반드시 배우게 됩니다. 코드 정리는 설계한 세부 결과를 깨달을 수 있는 좋은 방법입니다. 코드 정리는 생각할 수 있는 설계를 비춰줍니다.

마지막으로, 코드 정리를 나중에 자신이 원할 때 하면 더 의욕적이고 기분도 좋습니다. 소프트웨어 개발은 인간이 하는 과정입니다. 우리는 인간이고, 인간에게는 욕구가 있습니다. 새로운 기능에 도전할 에너지가 없을 때도 있지만 일하고 싶을 때도 있습니다. 재미 목록에서 항목을 골라 정리하는 일은 저에게 기쁨을 가져다 줍니다. 여러분이 행복을 느낄 때, 얼마든지 더 나은 프로그래머 될 수 있음을 간과하지 마세요.

동작 변경 후에 코드 정리

동작을 변경해야 하는데, 코드가 지저분합니다. 어떻게 코드를 정리해야 할지 당장은 모르겠습니다. 여하튼 동작을 변경합니다(지저분한 것은 어쩔 수 없습니다). 하지만 이제, 만세! 변경을 더 쉽게 할 수 있는 방법을 알게 되었습니다. 동작을 변경했으니, 이제 코드를 정리해야 할까요?

상황에 따라 다릅니다. 방금 변경한 코드를 대상으로 다시 동작 변경을 하게 될까요? 아마 그럴 가능성이 높습니다. 이유는 다음 절에서 설명하겠지만, 그래도 여러분 판단이 먼저입니다. 같은 영역을 다시 변경하게 된다면, 동작 변경 후 코드 정리하는 일은 상당한 의미가 있습니다.

이 부분은 다음 번 동작 변경을 할 때, 코드 정리부터 먼저 하는 것은 어떨까요? 나중에 가면 정리하는 일이 더 힘들 수도 있습니다. 지금은 맥락을 알아서 쉽게 정리할 수 있는 일이지만, 나중에는 맥락을 잊어버릴 수 있기 때문이죠. 또는 다른 변경 건이 생겨 코드 정리를 하는 데 훼방을 놓을 수도 있습니다. 나중에 코드를 정리할 때까지 기다리느라 비용이 너무 많이 증가할 가능성이 있다면, 지금 정리하는 것이 좋습니다.

그런데, 정리는 어느 정도나 해야 할까요? 동작 변경에 한 시간이 걸렸다고 가정해 봅시다. 그렇다면, 한 시간 정도 코드 정리에 투자하는 것은 합리적입니다. 만약 일주일이라면? 그건 말이 안 되죠. 그럴 일이라면 그냥 재미 목록에 추가하세요.

다음의 경우라면 동작 변경 후 코드 정리하세요.

- 방금 고친 코드를 다시 변경할 예정일 때
- 지금 정리하는 것이 더 저렴할 때
- 코드 정리하는 데 드는 시간이 동작 변경에 드는 시간과 거의 비슷할 때

코드 정리 후에 동작 변경

이제 드디어 책의 2부를 마칠 때입니다. 여기서 제목으로 제기한 질문에 대한 답을 찾을 수 있습니다. 코드 정리를 선행해야 할까요? 정답은…

상황에 따라 다릅니다.

물론 상황에 따라 다르겠지만 무엇에 따라 다를까요? 스스로에게 이런 질문을 해보세요.

- 지저분한 상태 그대로 코드를 변경한다면, 일이 얼마나 더 어려운가? 코드를 정리한다고 해서 더 쉬워지지 않는다면, 먼저 정리하지 마세요.
- 코드 정리의 이점을 바로 얻을 수 있는가? 아직 동작 변경 준비가 되지 않았다고 가정해 봅시다. 이해하고자 코드를 읽고 있는 중입니다. 코드를 정리한다면, 더 빨리 이해할 수 있겠다고 판단이 서면, 먼저 코드 정리를 하세요.
- 코드 정리에 드는 비용을 어떻게 보상받을 수 있을까요? 이 코드를 딱 한 번만 변경할 예정이라면 코드 정리는 제한하는 것이 좋습니다. 코드 정리로 몇 년 동안 매주 보상받는다면 먼저 하는 것이 좋겠죠.
- 코드 정리에 대해 얼마나 확신하고 계신가요? 추측할 때는 편견에서 벗어나야 합니다. '이것만 없어도 변경하기 쉬울 텐데' 그러나 다른 한편으로, '여기를 정리하면 이해하기 쉬워질 거야. 내가 지금 혼란스러운 걸 보면 알 수 있지'

일반적으로 코드를 먼저 정리하는 것을 선호하지만, 정리 그 자체를 목적으로 삼지 않도록 경계해야 합니다. 제가 분류한 코드 정리 카탈로그는 아주 작기 때문에

적용할 때 과도한 생각이 필요하지 않습니다. 코드 정리를 했는데 당장 효과를 못 보더라도 크게 문제가 안 됩니다. 코드 정리 선행을 좋아해도, 보통 대가가 크지 않고, 대부분은 보상을 받을 것입니다.

요약

다음 상황에는 코드 정리를 하지 마세요.

- 앞으로 다시는 코드를 변경하지 않을 때
- 설계를 개선하더라도 배울 것이 없을 때

다음 상황에서는 나중으로 정리를 미루세요.

- 정리할 코드 분량이 많은데, 보상이 바로 보이지 않을 때
- 코드 정리에 대한 보상이 잠재적일 때
- 작은 묶음으로 여러 번에 나눠서 코드 정리를 할 수 있을 때

다음 상황에서는 동작 변경 후에 정리하세요.

- 다음 코드 정리까지 기다릴수록 비용이 더 불어날 때
- 코드 정리를 하지 않으면 일을 끝냈다는 느낌이 들지 않을 때

다음 상황에서는 코드 정리 후에 동작 변경을 하세요.

- 코드 정리를 했을 때, 코드 이해가 쉬워지거나 동작 변경이 쉬워지는 즉각적인 효과를 얻을 수 있을 때
- 어떤 코드를 어떻게 정리해야 하는지 알고 있을 때

PART

03

이론

지금까지 무엇을, 언제, 어떻게 정리해야 하는지 알아보았으니, 이제 코드를 정리해야 하는 이유에 대해 이야기하겠습니다. 약 효과를 경험하기 위해 작용 원리를 정확히 알 필요는 없지만, 작용 원리를 알면 약에 대해 더 깊이 이해할 수 있고, 새로운 상황에서 약을 사용할 수도 있습니다.

이론만으로는 설득할 수 없습니다. 코드 정리는 헛소리야 라고 말하다가 갑자기 아무 이유 없이 생각을 바꿔 다음과 같이 말할 사람은 아무도 없을 겁니다. 하지만 당신은 선택의 여지를 만들고 있어요. 결국 좋은 생각인 것 같군요.

이론을 이해하면 최적의 응용이 가능합니다. 소프트웨어 설계에서 영원한 질문이 있습니다.

    언제 소프트웨어 설계 결정을 시작해야 하는가?

    언제 소프트웨어 설계 결정을 중단하고 시스템의 동작을 변경해야 하는가?

    다음 결정은 어떻게 내릴 것인가?

이러한 질문은 당장 합리적이고 논리적으로 답할 수 없습니다. 그 시점에는 합리적이고 논리적인 답을 찾는 데 필요한 정보가 존재하지 않기 때문입니다.

이론을 이해하면, 이러한 질문에 추측으로 답해야 할 때를 대비해 판단력을 키울 수 있습니다. 또한, 동료 괴짜들과의 논쟁을 좀 더 건설적으로 할 수도 있죠.

때때로 자신은 X를 하고 싶고 동료는 Y를 하고 싶을 때, 서로 동의하지 않는 내용은 간단합니다. 모두 같은 목표를 달성하려고 하지만 서로 방법이 다를 뿐입니다. 이론은 이러한 견해 차이가 더 깊어질 때 도움이 됩니다. 서로 다른 목표를 달성하려고 할 때에도 이론적인 틀을 공유하는 것이 유용합니다.

원칙에 동의하지 않더라도 서로의 원칙에 대해 논의할 수 있다면 더 빨리 합의할 수 있는 기회가 생깁니다. 또한 서로에게서 배울 수 있는 기회도 있습니다. "X야", "아니, Y라니까" 따위로 각자 고집한다면, 우리는 의지의 싸움에 갇히게 됩니다. 그리고 관계에서 상대적인 힘의 우위로 해결될 가능성이 높습니다.

3부에서는 다음과 같은 질문을 다룹니다.

1. 소프트웨어 설계란 무엇인가?
2. 소프트웨어 설계가 소프트웨어 개발과 운영 비용을 어떻게 좌우하는가? 반대로, 소프트웨어 개발과 운영 비용이 소프트웨어 설계를 어떻게 좌우하는가?
3. 소프트웨어 구조에 투자할 때와 투자하지 않을 때의 장단점은 무엇인가?
4. 소프트웨어의 구조를 변경할지 여부와 방법을 결정할 때 어떤 경제적, 인간적 원칙을 사용할 수 있는가?

우리는 '소프트웨어 설계는 인간관계 속에서 벌어지는 활동'이라는 말로 이 모든 여정을 시작했습니다. 이 책은 주로 자신과의 관계에 초점을 맞추고 있습니다. 즉, 작업을 하기 전에 작업을 더 쉽게 할 수 있을 만큼 자신을 소중히 여기는지 묻고 싶습니다. 하지만 이것은 여정의 첫 번째 단계에 불과합니다. 3부에서는 인간관계에서 가장 지속적이고 복잡한 측면 중에 하나인 돈에 대해 살펴보겠습니다.

요소들을 유익하게
관계 맺는 일

소프트웨어 설계란 무엇인가요? 저는 정의를 내리면서 시작하는 것을 좋아하지 않지만, 지금은 어렵사리 시작하겠습니다. 제가 어떤 내용을 설계라고 하는지 앞에서 예를 보셨을 겁니다. 지금까지 개별적인 결정이 함께 이어져서 더 큰 목표를 달성하는 모습도 보셨을 것입니다. 그리고, 제가 말하는 **'소프트웨어 설계는 인간관계 속에서 벌어지는 활동'**이라는 말이 뭘 의미하는지 언뜻 엿보셨을 것입니다. 이제는 '소프트웨어 설계의 의미'에 대해 '요소들을 유익하게 관계 맺는 일'이라고 말할 수 있습니다.

고작 세 단어이지만 중요한 개념입니다. 그래서 단어 하나하나에 상당한 무게가 담겼다고 할 수 있습니다. 이 단어들을 하나씩 나눠서 살펴 보고 다시 조합해 보겠습니다.

요소

물질의 구조는 다음과 같은 부분들로 이루어집니다.

- 세포소기관 → 기관 → 유기체
- 원자 → 분자 → 결정

- 프로그래밍 세계에서는, 토큰 → 식^{expression} → 문^{statement} → 함수 → 객체/모듈 → 시스템

요소에는 경계가 있습니다. 그래서 어디서 시작하고 끝나는지 알 수 있습니다.

또한 요소는 하위 요소를 포함합니다. 프로그래머들은 보통 '컴포지트^{Composite} 패턴'과 같은 동질적인 계층 구조를 선호합니다. 하지만, 앞에 물질의 예시처럼 자연의 계층 구조는 동질적이지 않죠. 하위 요소는 이들을 포함하는 요소와 다릅니다(현재 이 점이 얼마나 중요한지는 모르겠지만 마음에 두고 있습니다. 언젠가 자연스러운 과정으로서의 소프트웨어 설계 철학에 대한 책을 쓸 날이 올 것입니다.).

관계 맺기

자, 이제 요소로 구성된 계층 구조가 생겼습니다. 이러한 요소들은 서로 관계를 지닌 존재들입니다. 하나의 함수가 다른 함수를 호출합니다. 이때, 함수가 바로 그 요소를 이뤄서, '호출하고/호출받는' 관계를 맺습니다. 자연에서는 '먹는다', '그늘을 만든다', '비옥하게 한다'와 같은 관계가 있습니다.

소프트웨어 설계에서 관계는 다음과 같은 것들이 있습니다.

- 호출
- 발행^{Publish}
- 대기^{Listen}
- 참조(변수의 값을 가져오기)

유익하게

마법은 여기서 일어납니다. 하나의 설계 작업은 작은 하위 요소로 만든 거대한 수프를 만드는 일과 같은 것입니다(그림 22-1).

그림 22-1 거대한 수프 예시

전역 네임스페이스^{Namespace}를 사용한 어셈블리 언어를 생각해 보세요. 기본적으로 잘 작동한다고 가정하겠습니다. 외부 관찰자 입장에서 보면, 잘 설계된 프로그램과 똑같이 동작하겠죠. 하지만, 빠르게 변경할 수는 없을 것입니다. 요소들 사이에는 분명 존재하지만, 잘 드러나지 않는 관계가 너무 많기 때문입니다.

설계할 때, 시스템에는 필요하지만, 기계를 위한 명령어가 아닌, 일종의 중간 요소를 만들면, 그 중간 요소들이 서로에게 도움이 되기 시작합니다. 예를 들어, 함수 A는 함수 B가 계산의 복잡한 부분을 덜어 가면 더 간단해지니까요.

요소들을 유익하게 관계 맺는 일

'요소들을 유익하게 관계 맺는 일'이라는 문구는 '설계는...'으로 시작합니다. 설계란 무엇일까요? 설계를 구성하는 요소들과 그들의 관계, 그리고 그 관계에서 파생되는 이점이 바로 설계입니다.

'설계자는…'으로 문장을 시작할 수도 있습니다. 설계자는 어떤 일을 할까요? 설계자는 요소들을 유익하게 관계 맺는 일을 합니다. 이러한 관점에서 소프트웨어 설계자는 오직 다음과 같은 일만 할 수 있습니다.

- 요소를 만들고 삭제합니다.
- 관계를 만들고 삭제합니다.
- 관계의 이점을 높입니다.

어때요, 참 쉽죠? (← 농담입니다)

제가 가장 좋아하는 예시를 하나 들어보겠습니다. 한 객체가 하나의 함수에서 다른 객체를 두 번 호출하는 예시입니다.

```
caller()
    return box.width() * box.height()
```

호출 함수 caller()는 box 객체와 두 가지 관계, 즉 box 객체의 두 개의 함수를 호출하는 관계를 가집니다. 식을 box 객체 안으로 옮겨 봅시다.

```
caller()
    return box.area()

Box>>area()
    return width() * height()
```

설계 관점에서 Box.area()라는 새로운 요소를 만들고 caller() 함수와 box 객체 사이의 관계를 조정했습니다. 이제 두 요소는 하나의 함수 호출로 연결됩니다. caller() 함수가 단순해진 유익해진 대가로 Box가 하나의 더 커진 함수를 갖게 됩니다.

시스템의 구조에 대해 말씀드리면 다음과 같습니다.

- 요소 계층 구조
- 요소 사이의 관계
- 이러한 관계가 만들어내는 이점

이제 시스템의 구조와 동작을 좀 더 명확하게 구분할 때입니다.

구조와 동작

소프트웨어는 두 가지 방식으로 가치를 만듭니다.

- 현재 소프트웨어가 하는 일
- 미래에 새로운 일을 시킬 수 있는 가능성

'현재 소프트웨어가 하는 일'은 예를 들어 급여 계산, 주문 배송, 친구에게 알림 발송 따위의 시스템 동작을 말합니다(네, 모든 소프트웨어 시스템은 일종의 사회 기술 체계이기도 하지만, 이 책에서는 아직 설계의 사회적인 부분은 다루지 않습니다.).

동작을 규정하는 방식은 다음 두 가지입니다.

입출력 쌍

이 정도의 시급과 근무 시간이면, 이 지역의 세율을 고려할 때, 급여와 세금 신고액은 다음과 같습니다.

불변 조건

정부가 제공하는 모든 재정 지원 혜택 합계는 모든 공제액의 합계와 같아야 합니다.

동작은 가치를 만듭니다. 컴퓨터가 매초 수백만 번이나 계산할 수 있으니, 수많은 수를 일일이 손으로 계산할 필요는 없습니다. 사람들은 수작업으로 수를 계산하지 않아도 되니까, 기꺼이 컴퓨터에 돈을 지불할 것입니다. 소프트웨어를 실행하는 데 1달러의 전기료가 들고, 사람들이 이용할 때 10달러를 청구할 수 있다면 비즈니스가 성립하는 것입니다.

이론상으로 이 비즈니스는 영원히 운영되고, 1달러를 투자할 때마다 10달러의 수익을 벌어들일 수 있습니다. 하지만, 이것이 지나치게 단순화되었다는 것을 알고 있습니다. 흔히 컴퓨터의 성능이 영원히 유지될 거라고 생각하지만, 모든 것은 늘 변하기 마련입니다. 강물 위에서 제자리를 유지하려면 끊임없이 노를 저어야 하죠. 하지만 지금은 차이를 보여주려는 목적이니, 이정도 수준의 예시면 충분합니다.

1달러를 넣었을 때, 10달러를 내놓는 기계보다 더 좋은 것이 무엇일까요? 10달러를 넣을 때마다 100달러를 내놓는 기계입니다. 아니면 1달러를 넣으면 20달러가 나오는 기계죠. 어떻게 하면 더 나은 기계에 도달할 수 있을까요?

그 방법을 한마디로 말하면, 선택 가능성입니다. 특정 방식으로 동작하는 시스템이 있다는 것만으로도, 시스템이 어떻게 동작해야 하는지에 대한 욕구가 달라집니다(하이젠베르크의 불확실성 원리). 즉 현재 1달러-당-10달러 기계에 얼마를 지불하고 있더라도 10달러-당-100달러 기계 또는 1달러-당-20달러 기계가 될 수 있는 기계에 더 많은 돈을 지불할 것입니다. 실제 결과가 어떤 기계가 될지 모른다고 해도 마찬가지입니다.

이것이 제가 수십 년에 걸쳐 터득한 비밀입니다. 시스템을 더 가치 있게 만들기 위해서 굳이 시스템의 동작을 바꿀 필요가 없었습니다. 다음에 무엇을 할 수 있는지에 대해 선택할 수 있는 기회를 만들자마자, 저는 이미 돈을 번 것입니다(확고한 이해를 위해 옵션 가격 책정 공식이라는 토끼굴로 들어가 자세히 그 내용을 다룰 예정이며, 여러분 스스로 납득할 수 있는 방법을 찾아내리라 믿습니다.).

옵션은 소프트웨어로 만들어내는 경제적인 마법이며, 주로 확장할 기회를 만듭니다. 1천 대의 자동차를 만들 수 있다고 해서 10만 대의 자동차를 만들 수 있다는 보장은 없습니다. 하지만 소프트웨어에서 1천 개의 알림을 보낼 수 있다면, 노력에 따라 10만 개도 보낼 수 있을 것입니다(기술의 한계에 다다르면 확장이 불확실해지지만, 초기 성장 단계에서는 확장이 위험하지 않습니다).

옵션의 가장 멋진 점 중 하나는 환경의 변동성이 클수록 옵션의 가치가 더 커진다는 것입니다. 이것이 바로 제 책『익스트림 프로그래밍(2판)』(인사이트, 2006)의 부제를 '변화를 포용하라'로 정한 동기이기도 합니다. 젊은 엔지니어 시절에 저는 안정된 듯 보였던 상황이 혼란스럽게 변할 때 두려움을 느꼈습니다. 하지만 옵션을 통해 선택 가능성을 늘리는 방법을 배우고 나서는 혼란이 기회가 되었습니다.

선택 가능성을 앗아가는 요소는 무엇일까요? 다음은 소프트웨어에 내포된 선택 가능성을 제거하는 몇 가지 시나리오입니다.

- 핵심 직원이 퇴사합니다. 며칠이 걸리던 변경 작업이 이제는 몇 달이 걸립니다.
- 고객과 거리가 멀어집니다. 짜증나는 요청이라도 매일 한 건씩 받다가 달에 한 번 정도 받는다면 선택의 폭은 좁아집니다.
- 변경에 따른 비용도 치솟습니다. 하루에 한 가지 선택을 내릴 수 없고, 한 달에 한 번 선택의 기회가 주어질 수 있습니다. 선택 가능성이 줄어들면 소프트웨어가 만드는 가치도 줄어듭니다.

이 책에서는 처음 두 가지를 직접적으로 다루지는 않지만, 세 번째는 대응할 수 있습니다. 마치 우리가 요리할 때, 주방을 깨끗이 유지하는 것처럼 말이죠.

시스템의 구조는 동작에 영향을 미치지 않습니다. 예를 들면, 하나의 큰 기능으로 구성하든, 수많은 작은 기능으로 구성하든, 동작의 결과로 같은 급여가 계산됩니다. 구조는 미래의 기회를 만듭니다. 구조에 따라 급여 계산에 새로운 국가를 추가하는 것이 쉬워질 수도 있고, 어려워질 수도 있습니다.

문제는 구조가 동작처럼 또렷하게 드러나지 않는다는 사실입니다. 제품 로드맵이 기능이나 동작 변경 목록으로 구성하는 데에는 이유가 있습니다. 이전에는 없던 버튼이 나타나는 식의 동작 변경은 쉽게 알아볼 수 있기 때문입니다.

선택 가능성을 유지하고 확장하기 위해 구조에 투자해야 한다는 것을 알고 있다고 해도, 실제로 투자했는지 여부는 알 수 없습니다. 코드를 변경하기가 더 쉽다고요? 정말인가요? 결코 우리가 충분히 했는지 알 수 없습니다. 구조에 더 많은 투자를 하면, 코드를 더 쉽게 변경할 수 있을까요? 정말 그럴까요? 다시 말하지만, 구조에 대한 투자가 제대로 이루어졌는지는 알 수 없습니다. 우리가 수행한 구조 변경이 코드를 더 쉽게 변경할 수 있는 최선의 방법이었을까요? 정말 그럴까요?

그래서 사람들은 동작 변경과는 다르게 구조 변경에 대해서는 혼란스러워합니다. 이 책은 이러한 질문에 대한 답을 대신 제시하는 것이 아니라 여러분이 스스로 답을 찾을 수 있도록 도와줍니다. 구조 변경과 동작 변경은 모두 가치를 만들어내지만, 근본적으로 다르다는 것을 이해하는 것부터 시작하세요. 어떻게 다를까요? 한마디로 말하면 되돌릴 수 있는 능력 즉, **가역성**입니다.

경제 이론:
시간 가치와 선택 가능성

저는 30대 중반까지만 해도, 돈의 본성에 대해 전혀 알지 못했습니다. 물건을 사고 팔아 돈을 '버는' 일은 할 수 있었지만, 돈을 움직이는 원리에 대해서는 전혀 이해하지 못했습니다.

컴퓨터가 저를 구해줬죠. 연속해서 금융 관련 프로젝트를 수행하면서, 돈에 관한 기본적인 개념을 프로그래밍해야 했습니다. 프로그래밍은 제가 세상을 이해하는 방식이기 때문에 그때부터 돈을 이해하기 시작했습니다. 시간이 지나면서 그 교훈이 제 직관에 스며들어 개발을 바라보는 시각이 바뀌었습니다.

제임스 뷰찬(James Buchan)은 『Frozen Desire』(Picador, 1998)에서 사람은 종종 원하는 물건이 있지만 당장 갖고 싶지는 않을 때가 있는데, 돈은 바로 이러한 '냉동 욕망(frozen desire)'을 대변한다고 주장합니다. 한 달 동안 먹을 수 있을 만큼의 가치를 벌었지만, 한 달 치 식량을 저장하고 싶지 않다면, 벌어들인 가치를 저장했다가 일주일에 한 번씩 신선한 상추로 편리하게 바꿀 수 있게 되니 굉장히 편리하게 해 주죠.

하지만, 돈은 신기한 존재입니다. 돈은 그 자체의 본성을 가지고 있습니다. 돈의 본성과 더불어 우리가 하는 일의 중심에 돈이 있기 때문에 긴장이 형성됩니다. 프로그래머로서 우리가 하는 일이 돈의 본성과 상반될 수도 있습니다. 그러나 괴짜의 욕망과 돈의 명령이 충돌하면, 결국 돈이 승리하더군요. 결국에는 말이죠.

돈의 본성에 대한 교훈이 제 직관에 스며든 후로 저는 프로그래밍에 대한 태도가 바뀌었습니다. 제게 완벽하게 이해되던 전략이 이제는 돈의 본성과 모순되는 기괴한 것으로 보였습니다. 대수롭지 않게 여겼거나, 어설프거나 순진해 보였던 전략이 합리적인 자금 관리라고 여겨졌습니다. 상업적 흐름에 따라 노를 저을수록 제배는 더 빨리 나아갔습니다.

제가 배운 돈의 본성은 두 가지 놀라운 속성을 지닙니다.

- 오늘의 1달러가 내일의 1달러보다 더 가치가 있기 때문에 버는 것은 빨리하고, 쓰는 것은 가능한 뒤로 미룹니다.
- 혼란스러운 상황에서는 어떤 물건에 대한 옵션이 물건 자체보다 낫기 때문에 불확실성에 맞서는 옵션을 만듭니다.

이 두 가지 속성은 때때로 충돌합니다. 지금 돈을 벌려면 미래의 옵션이 줄어들 수 있습니다. 하지만 지금 돈을 벌지 못하면 미래의 옵션을 행사할 여력이 없을 수도 있습니다.

순현재 가치$^{\text{Net Present Value}}$(NPV)와 옵션 그릭스$^{\text{options greeks}}$[1]에 대해 이미 이해하셨다면 다음 두 장은 건너뛰어도 됩니다. 30년 전의 저처럼 'NPV와 옵션 그릭스'가 횡설수설처럼 들린다면 다음 두 장에서 설명하는 금융 용어에 대해 조금 더 알아보세요. 처음 방문한 나라에서 (그 나라 말로) "화장실이 어디예요?", "맥주 한 잔 더 주세요"라고 말할 수 있게 되면 기분이 좋아지는 것처럼, 다음 두 장은 이제 막 금융의 세상을 탐색하고, 소프트웨어 설계에 대한 금융의 심오한 영향력을 이해하기 시작하는 데 도움이 될 것입니다.

---

1 옮긴이_ 옵션 가격은 기초자산 가격, 이자율, 시간 경과, 시장 변동성 예상의 변화 따위의 다양한 요소에 의해 결정됩니다. 이를 총칭하여 '옵션 그릭스'라고 부르는데, 복잡한 금융의 민감도를 나타낼 때 사용되는 부호들이 미적분학에서 유래되었으며 그리스어(Greek) 알파벳을 사용하기 때문입니다.

소프트웨어 설계는 '먼저 벌고 나중에 써야 한다'와 '물건이 아닌 옵션을 만들어야 한다'는 두 가지 속성을 조화시켜야 합니다. 돈의 시간에 따른 가치와 선택 가능성 이라는 두 가지 효과를 자세히 살펴본 후에 소프트웨어 설계가 돈과 어떻게 교류 하는지 살펴보겠습니다.

오늘의 1달러가
내일의 1달러보다 크다

많고 적음의 의미는 항상 같을까요? 상황에 따라 다릅니다. 돈에 대해서라면, 다음 두 가지에 달렸습니다.

- 시점
- 확실성

제가 여러분에게 오늘 1달러를 주면 원하는 곳에 쓰거나 나중에 더 많은 돈을 벌 수 있도록 투자할 수 있습니다. 내일 1달러를 약속하면, 오늘 주는 1달러보다 가치가 떨어집니다. 왜 그럴까요?

- 지금 사용할 수 없으니, 가치가 떨어집니다.
- 지금 투자할 수 없으니, 나중에 받을 때, 오늘 받은 1달러를 받아 투자할 경우에 비해 가치가 떨어집니다.
- 제가 내일 실제로는 여러분에게 돈을 주지 않을 가능성이 있습니다. 그런데 제 이야기는 아닙니다. 제 말은 진짜로 믿어도 됩니다. 하지만, 모두 저와 같지는 않습니다. 그가 돈을 주지 않을 수 있으니 '내일의 달러'의 가치가 떨어질 수도 있습니다.

가치가 얼마나 줄어들까요? 이것은 복잡한 질문입니다. 현재로서 중요한 사실은 모든 달러의 가치가 항상 같지 않다는 것입니다. 그러니 그 가치를 파악하려면, 각 금액에 날짜를 붙여야 합니다. 즉 매우 어렵습니다.

소프트웨어 시스템의 가치는 어떻게 평가할까요? 소프트웨어 시스템이 있는데 제가 구매하고 싶다고 가정해 보겠습니다. 얼마를 지불해야 합리적일까요?

그것이 무엇인지는 중요하지 않으니 지불 시스템이라고 가정하죠. 이 지불 시스템은 수많은 하위 서비스가 있어서 약 140만 줄의 코드로 구성되어 있습니다. 평균 함수 순환 복잡도$^{\text{cyclomatic complexity}}$는 14입니다(농담입니다. 멱법칙[1]에 대해 분포 값의 평균은 쓸모가 없습니다.). 하지만 구매자인 저에게는 이 모든 것이 중요하지 않습니다.

구매할 때 제가 관심 있는 것은 돈이 어떻게 흘러가는지입니다. 소프트웨어의 가치를 평가하기 위해 일부는 유입되고 일부는 유출되는 일련의 현금흐름으로 모델링할 수 있지만(이것이 핵심입니다), 각 흐름은 날짜와 밀접하게 연결되어 있습니다.

다음은 시간/돈에 대한 직관력을 키우는 데 도움이 되는 연습 문제입니다. 향후 10년 동안 1천만 달러의 비용을 들여 2천만 달러를 벌어들이는 소프트웨어 시스템과 1천만 달러의 비용을 들여 1천2백만 달러를 벌어들이는 소프트웨어 시스템 중 어느 것이 더 매력적일까요?

엄밀히 말하면 이 질문은 함정입니다. 경제 문제에 대해 '향후 10년 동안'을 따지는 일은 '우주의 종말 시점'을 말하는 것과 같습니다. 직관력을 키우려면 이러한 숫자를 볼 때 즉시 "그래, 하지만 언제 그리고 얼마나 확실하지?"라고 질문해야 합니다.

'오늘 천만 달러를 지불하고 10년 후에 2천만 달러를 받는다'와 '오늘 1천 2백만 달러를 받고 10년 후에 천만 달러를 지불한다'의 차이를 느껴보세요. 전자의 거래는 저를 긴장하게 만듭니다. 좋은 투자처럼 보이지만 10년 동안 계속 긴장 속에

---

1   옮긴이_ 멱법칙(冪法則, power law)은 한 수가 다른 수의 거듭제곱으로 표현되는 두 수의 함수적 관계를 의미합니다.

있어야 할 것 같기 때문입니다. 후자의 거래는 그다지 생각이 필요하지 않습니다. 첫날부터 2백만 달러의 수익이 보장되고, 10년 동안 투자를 통해 얻을 수 있는 모든 수익이 보장되니까요. 앞으로의 10년이 두렵기보다는 기대가 됩니다.

이 책의 범위에서 돈의 시간 가치는 코드 정리를 먼저 하기보다는 나중에 하는 것을 권장합니다. 지금 당장 돈을 벌고 나중에 코드를 정리하는 행동 변화를 실천할 수 있다면 점차 먼저 돈을 벌고 나중에 돈을 쓸 수 있을 것입니다(앞서 언급했듯이, 종종 선행 코드 정리는 코드 정리와 뒤따르는 동작 변경의 비용 합계가 코드를 정리하지 않고 동작 변경을 하는 경우보다 더 적을 수 있다는 것을 의미합니다. 이런 경우에는 항상 먼저 정리하세요.).

우리가 말하는 몇 분에서 몇 시간 정도의 규모에서는 현금흐름을 할인한다고 해서 경제적으로 큰 차이가 나지는 않을 것입니다. 하지만 아무리 작아도 분명 차이가 있습니다. 시간 가치에 대한 연습은 다음 책들에서 더 큰 규모로 나아갈 때 반드시 도움이 될 것입니다.

다음에는 소프트웨어의 경제적 가치의 또 다른 원천인 선택 가능성에 대해 살펴보겠습니다. 시간 가치와 옵션 가치가 종종 충돌하기 때문에 즐거운 시간이 될 것입니다.

옵션[1]

앞 장에서는 소프트웨어 시스템의 경제적 가치를 할인된 미래 현금흐름의 합으로 설명했습니다. 이 흐름을 바꾸면, 다음 두 가지 예시처럼 더 많은 가치를 만들 수 있습니다.

- 더 많이, 더 일찍, 더 높은 확률로 돈을 벌 수 있습니다.
- 더 적게, 더 늦게, 더 낮은 확률로 돈을 지출할 수 있습니다.

소프트웨어 설계자로서, 이 모델을 염두에 두고 일하는 것은 이미 쉽지 않은 일입니다. 마치 설계가 과하거나 너무 빠르지 않고, 설계가 너무 적거나 너무 늦지도 않은 골디락스 같은 세상에 사는 일이죠. 하지만 잠깐만요, 더 있습니다(이 일이 쉬운 일이라면, 모두가 이미 어렵지 않게 하고 있을 것이고, 이 책을 쓸 이유도 없겠죠). 때로는 상충되지만, 또 다른 가치의 원천이 있는데, 바로 옵션입니다.

수십 년 전에 저는 월스트리트에서 트레이딩 소프트웨어를 만드는 일을 했습니다. 평소 좋아하던 대로 해당 분야의 배경 공부를 하다가 옵션 가격option price을 발견했습니다. 저는 또 다른 토끼굴에 들어갔습니다. 저는 이 즈음에 테스트 주도 개발

---

1 옮긴이_ 저자는 금융 업계의 옵션을 소프트웨어 설계 결정에 투영합니다. 옵션은 '선택'의 의미를 내포하는데, 그래서 소프트웨어 설계 문제에서 옵션을 보유하는 일은 당장 모든 비용을 '동작 변경'에 모두 투자하는 대신에 '선택 가능성' 혹은 '선택의 기회'를 유지하는 일을 제안하는 격입니다.

(TDD)을 고안해서 연습 주제를 찾고 있었습니다. 옵션 가격 책정은 정답이 알려진 복잡한 알고리즘이라는 점에서 좋은 예가 될 것 같았습니다.

저는 먼저 현존하는 옵션 가격 공식 테스트를 코드로 구현했습니다(이 과정에서 부동소수점 숫자를 비교할 때, 엡실론[2]이 필요하다는 사실도 발견했습니다). 그 과정에서 옵션에 대한 직관이 생겼고, 그 직관은 소프트웨어 설계에 대한 일반적인 생각으로 흘러들기 시작했습니다.

이러한 알고리즘을 이 책에서 모두 구현해 드릴 수는 없지만, 제가 배운 교훈을 알려드릴 수는 있습니다(정말 '이해'하고 싶다면 직접 실습해 보시길 권합니다).

- "다음에 어떤 동작을 구현할 수 있을까?"라는 질문은 동작을 구현하기 전에도, 그 자체로 가치가 있습니다. 저는 이 점이 놀라웠습니다. 이전 장에서 설명한 대로 이때까지 저는 지금까지 한 일에 대한 대가를 받고 있다고 생각했습니다. 하지만, 실제로는 그렇지 않았습니다. 대부분은 다음에 할 수 있는 일에 대한 대가를 받고 있었습니다.
- "다음에 어떤 동작을 구현할 수 있을까?"라는 질문은 동작 후보 목록이 많을수록 더 가치가 있습니다. 목록의 규모를 늘릴 수 있다면 저는 가치를 창출한 것입니다. 또한, 이 질문은 포트폴리오에 있는 동작의 가치가 높을수록 가치는 올라갑니다. 어떤 동작이 가장 가치가 있을지, 얼마나 가치가 있을지는 예측할 수 없지만…
- 어떤 항목이 가장 가치가 있을지는 구현할 수 있는 옵션을 계속 열어두는 한 신경 쓸 필요가 없습니다.
- 최고의 교훈은 바로 이것입니다. 가치에 대한 예측이 불확실할수록 바로 구현하는 것보다 옵션이 지닌 가치가 더 커집니다. 바로 구현하는 것보다 변화를 포용하면 제가 창출한 가치를 극대화할 수 있는데, 그 상황은 통상적으로 소프트웨어 개발이 가장 극적으로 실패하는 바로 그 지점입니다.

금융 옵션에 대해 처음 접하시는 분들을 위해 간단한 예시를 준비했습니다.

일단 가격이 있는 물건부터 시작해 보죠. 여러분에게 1달러짜리 감자가 한 개 있습니다. 저에게는 1달러가 있습니다. 1달러를 드릴 테니, 감자를 저에게 주세요.

---

2 옮긴이_ 옵션 그릭스 중에 하나입니다.

이제 저는 감자는 있지만, 1달러가 없습니다. 여러분은 1달러가 있지만, 더 이상 감자는 없습니다.

지금은 감자를 원하지 않지만 내일은 원할 수도 있습니다. 내일은 분명 갖고 싶을 거예요. 내일 감자를 주겠다고 약속하는 대가로 오늘 1달러 정도를 줄 수 있어요. 내일 감자를 가져다주면, 우리 둘 다 행복할 거예요. 하지만 돈의 시간 가치 때문에 오늘은 1달러보다 조금 적게 줄게요.

그러나 제가 내일 감자를 먹을지 확신이 서지 않으면 어떻게 하나요? 날씨가 좋으면 나들이를 갈 수도 있고, 이 경우 감자 샐러드를 만들 수도 있겠죠. 하지만 날씨가 나쁘다면 버려질 감자를 사고 싶지 않을 것입니다. 이 경우 내일 감자를 사겠다는 여러분과의 약속을 지켜 내일 1달러에 살 수도 있겠지만, 그 약속을 지키지 않을 수도 있습니다.

이 '약속을 위한 약속'에 대해 얼마를 지불해야 할까요? 여러분은 내일 1달러를 받을 수 있지만, 제가 감자를 여러분에게 팔겠다는 약속을 지켜야만 1달러를 받을 수 있습니다. 내일 감자를 팔지 못하면, 그 감자로 무엇을 할 수 있는지 알아야 합니다. 내일 감자를 다른 좋은 용도로 사용할 수 있다면, 이 옵션을 1달러 이하에 팔 수 있습니다. 여러분이 내일 감자를 사든 안 사든 상관없습니다. 하지만 여러분이 내일 감자를 사지 않아서 감자가 버려질 것이라면, 오늘 제값을 거의 다 받아야겠죠.

방금 콜 옵션에 대해 설명했는데, 콜 옵션은 미래에 고정된 가격으로 무언가를 구매할 수 있는 권리이지만 의무는 아닙니다. 금융 옵션에는 이러한 매개변수가 있습니다.

- 매수할 수 있는 기초자산
- 기초자산의 가격, 해당 가격의 변동성을 포함한 가격

- 옵션의 프리미엄 또는 현재 우리가 지불하는 가격
- 옵션의 기간 또는 기초자산을 구매할지 여부를 결정해야 하는 기간(일부 옵션은 지금부터 기간이 끝날 때까지 언제든지 기초자산을 구매할 수 있습니다)

이것이 소프트웨어 설계에 어떤 의미가 있을까요? 소프트웨어 설계는 변화를 위한 준비로 동작 변경에 대한 준비입니다. 우리가 다음에 만들 수 있는 동작 변경은 앞선 예시에 나오는 감자와 같습니다. 오늘 우리가 하는 설계는 내일의 동작 변경을 '구매'하는 '옵션'에 대해 지불하는 프리미엄입니다.

소프트웨어 설계를 옵션의 관점에서 생각해 보니 제 생각이 완전히 뒤집혔습니다. 옵션을 만드는 것과 동작을 변경하는 것의 균형을 맞추는 데 집중하자, 예전에는 두렵기만 했던 일이 이제는 설레는 일이 되었습니다.

- 잠재적인 동작 변경의 가치가 변동성이 클수록 더 좋습니다.
- 개발 기간이 길면 길수록 좋습니다.
- 물론 앞으로 더 저렴하게 개발할 수 있다면 더 좋겠지만, 그것은 가치의 극히 일부분에 불과했습니다.
- 더 작은 설계 작업으로 옵션을 만들 수 있다면 더 좋았습니다.

하지만, 저는 여전히 '옵션을 만드는 것과 동작을 변경하는 것의 균형'이라는 말로 슬쩍 넘어갔던 까다로운 문제에 직면해 있었습니다.

옵션과 현금흐름 비교

이 책에서 우리는 "코드 정리가 먼저인가?"라는 흥미로운 질문을 만드는 경제적 줄다리기를 하고 있습니다.

- 현금흐름할인[1]은 높은 확률로 먼저 돈을 벌고, 낮은 확률로 나중에 돈을 쓰라고 말합니다. 코드 정리를 먼저 하지 마세요. 돈을 더 일찍 쓰고, 돈을 나중에 버는 것입니다. 어쩌면 나중에는 정리가 필요하지 않을 수도 있습니다.
- 옵션은 나중에 더 많은 돈을 벌기 위해 설사 정확한 방법을 모르더라도, 지금 돈을 쓰라고 말합니다. 옵션이 생길 일이 명백하다면, 코드 정리를 선행하세요. 동작 변경 후에도 정리할 내용이 있다면, 또 합니다.

코드 정리를 선행해야 할까요? 그럴 수도 있고, 아닐 수도 있습니다.

자, 확실히 코드 정리부터 해야 할 때가 있습니다. 언제일까요?

비용(코드 정리) + 비용(코드 정리 후 동작 변경) < 비용(바로 동작 변경)

위 수식이 성립하면 무조건 코드 정리를 먼저 하세요. 여전히 마음이 들떠서 지나치게 코드 정리에 빠질 수도 있지만, 어느 정도까지 할 것인지 경계를 잘 설정하고 유지하면 괜찮습니다.

---

1 옮긴이_ 25장 '오늘의 1달러가 내일의 1달러보다 크다'에서 다룬 가치 판단 방법을 말합니다.

이보다 곤란한 상황은 다음과 같은 경우에 발생합니다.

비용(코드 정리) + 비용(코드 정리 후 동작 변경) > 비용(바로 동작 변경)

단기적인 경제성 때문에 코드 정리가 망설여지더라도 코드 정리를 먼저 하고 싶을 수 있습니다. 그리고 코드 정리 과정에서 자연스럽게 동작 변경까지 하고 있을 수도 있습니다. 모든 변경에 걸쳐 코드 정리에 드는 비용을 나누는 것이 합리적일 수 있으며, 심지어 현금흐름을 할인하는 것도 가능합니다.

창출된 옵션의 가치가 더 빨리 그리고 확실하게 돈을 지출함으로써 잃는 가치보다 크다면 현금흐름이 할인되더라도 코드 정리를 우선하는 것이 오히려 경제적으로 합리적일 수 있습니다. 이 지점은 확고한 판단의 갈림길입니다. 여러분은 '여기 좋은 게 더 있는데, 그것을 보기 위해 코드 정리를 해야겠어'라고 냄새를 맡을 수 있습니다. 이는 코드 정리를 더 해야 한다는 충분한 근거가 될 수 있습니다.

또는 소프트웨어 설계는 인간관계 속에서 벌어지는 활동이고, 코드 정리의 차원에서 코드와 자신과의 관계에 대해 이야기하고 있기 때문에, 코드 정리를 먼저 하면 이후의 행동 변화가 더 즐거워진다는 이유로 코드 정리를 먼저 할 수도 있습니다. 이러한 '자기 관리로서의 코드 정리'는 어느 정도 정당화될 수 있습니다. 다만, 경제적 인센티브에 반하는 행동을 하고 있을 수도 있다는 사실을 항상 인식하세요.

몇 분에서 몇 시간에 이르는 코드 정리 규모에서 우리는 코드 정리의 경제성을 정확하게 계산할 수 없으며, 계산하려고 시도해서도 안 됩니다. 우리는 두 가지 중요한 형태의 판단력을 길러서, 나중에 더 큰 일을 실행하려고 합니다.

- 소프트웨어 설계의 시기와 범위에 영향을 미치는 인센티브를 인식하는 데 익숙해지기("설계에 더 많은 시간을 할애하고 싶은데 반발이 너무 심해요. 무슨 일일까요?").
- 대인 관계 기술을 우리 자신에게 연습해서, 나중에 밀접하게 일하는 동료부터 더 넓은 범위의 동료에게까지 활용하기.

이 연습을 꾸준히 한다면, 제품의 생존과 번영이 걸려 있는 중요한 순간에 이를 때 언제, 어떻게 설계해야 하고 언제 설계하지 말아야 하는지 직감적으로 알 수 있게 됩니다.

되돌릴 수 있는 구조 변경

머리를 잘못 자른 경우와 문신을 잘못한 경우가 무슨 차이가 있을까요? 머리카락은 다시 자라면 그만입니다. 하지만, 문신은 영원합니다(절대 안 되는 건 아니지만, 되돌리기가 훨씬 어렵습니다).

동작 변경과 구조 변경에 대해서는 어떤가요? 선행 코드 정리의 특징은 구조 변경은 대체로 되돌릴 수 있다는 점입니다. 도우미 함수를 추출한 다음 마음에 들지 않는다면? 원래대로 돌려놓으세요. 도우미 함수는 애초에 존재하지 않던 상태로 사라집니다.

반면에, 후회할 만한 동작 변경과 대조해 보세요. 번호가 잘못 찍힌 세금 고지서 10만 건을 발송했다고 가정해 보겠습니다. 이제 어쩌죠? 모르긴 해도 해결하는 데 큰 비용이 들 겁니다. 평생 나쁜 평판을 짊어지고 살아야 할 수도 있습니다. 공지를 보내기 딱 5분 전에라도 알았다면 하는 아쉬움이 남습니다. 보내고 난 5분 후에 발견하는 대신 말이죠.

일반적으로 되돌릴 수 있는 결정은 되돌릴 수 없는 결정과 다르게 취급해야 합니다. 되돌릴 수 없는 결정에 대해서는 면밀히 검토하고 두 번, 세 번 확인하는 일은 매우 가치 있는 일입니다. 기본적으로 천천히 그리고 신중해야 하죠. 결정해서 얻는 장점이 크더라도, 잘못될 경우 뒤따르는 대가가 크다는 단점도 있습니다. 그렇습니다. 우리는 좋은 결과를 원하지만, 나쁜 결과를 피하려는 마음이 더 큽니다.

되돌릴 수 있는 결정은 어떨까요? 대부분의 소프트웨어 설계 결정은 쉽게 되돌릴 수 있습니다. 이 책에서 살펴본 바와 같이, 동작 변경을 쉽게 할 수 있는 장점이 있습니다. 하지만, 부작용은 크지 않습니다. 잘못된 결정이었다고 깨달으면, 쉽게 되돌릴 수 있으니까요.

따라서, 실수를 피하는 것이 신경 쓸 정도로 큰일이 아니기 때문에 지나치게 노력할 필요가 없습니다. 이것이 바로 우리가 '정리'라는 단어를 택해서 암시했던 경제적 현실이고, 이 책을 통해 설명하고 있는 내용이죠. 정말 별거 아닙니다. 그냥 정리일 뿐이죠.

코드 검토 절차는 (여러 번 폐기하겠다고 약속했지만 지금은 때가 아닙니다) 되돌릴 수 있는 변경 사항과 되돌릴 수 없는 변경 사항을 구분하지 않습니다. 결국 너무나 다른 결과를 초래하는 일에 똑같이 시간 투자를 하는 꼴입니다. 낭비가 아닐 수 없습니다.

되돌릴 수 **없는** 설계 변경은 어떻게 하면 좋을까요? 예를 들어, '서비스로 추출하기extract as a service'는 비교적 큰 문제이기 때문에 되돌리기 어려울 수 있습니다. 조금 더 생각해 볼 필요가 있는 변경이죠. 프로토타입을 실제로 구현해 볼 수도 있습니다. 여기서 '구현'이란 실제 환경production에 적용하는 것을 의미합니다. 기능 플래그feature flag가 필요할까요? 그럼요. 모든 곳에서 기능 플래그를 확인해야 할까요? 네, 정리를 먼저 합시다. 기능 플래그만 확인하면 되니까요.

우리가 지금 무엇을 하려는지 아시겠나요? '서비스로 추출하기extract as a service'를 적어도 당분간은 되돌릴 수 있게 만들고 있습니다. 중간에 이 서비스 중 하나가 SQL 쿼리를 포함하고 있다는 사실을 깨닫게 되면(고마워요, 조시 윌스), 큰 어려움 없이 변경할 수 있습니다.

되돌릴 수 있었던 설계 결정이 되돌릴 수 없게 되는, 또 다른 시나리오는 설계 결정이 코드 베이스 전체에 전파될 때입니다. `integer` 타입 정수를 `long` 타입으로 변경했더니 백만 개의 변경이 필요하다고 해 봅시다. 그들 중에는 극히 까다로운 것도 있습니다. 그럴 때는 1) 이 결정이 확산될 가능성이 있는 결정인지에 대해 조금 더 생각해 보고, 2) 그런 일이 발생하면, 한 번에 하나씩 정리해 나가는 것입니다.

코드 정리를 먼저 할 수도 있고, 결정 번복을 마무리한 후에 코드 정리를 할 수도 있습니다(항상 그렇듯이 중단 가능한 작은 조각을 사용합니다).

괴짜들은 모든 상황을 이상적으로만 생각해서, 결코 실수하는 일 없이 더 나은 의사결정을 할 수 있다고 믿는 듯합니다. 젊었을 때는 저 역시 '내가 무한히 똑똑하다면'이라는 제단을 숭배하는 신봉자였습니다. 다행히도 저는 극복했습니다. 저는 '가역성'이라는 단어를 알기 훨씬 전부터 되돌릴 수 있는 일의 가치를 배웠고, 결정을 되돌릴 수 있게 만드는 것의 가치를 깨달았습니다.

결합도

에드워드 요던과 래리 콘스탄틴은 고전적인 저서인 『Structured Design』(Your don, 1975)의 집필을 준비하면서 프로그램의 가격이 비싼 이유를 알아내기 위한 조사를 했습니다. 그에 따르면 비싼 프로그램에는 모두 한 가지 공통점이 있다는 것을 발견했습니다. 한 요소를 변경하려면 다른 요소도 변경해야 한다는 것이죠. 반면 저렴한 프로그램은 좁은 범위의 코드 변경만 필요한 경향이 있었습니다.

그들은 이 변경 감염 특성을 '결합도'라고 불렀습니다. 한 요소를 변경하면 다른 요소도 함께 변경해야 하는 경우, 두 요소는 특정 변경과 관련하여 서로 결합되어 있는 것입니다.

예를 들어, 호출하는 함수는 호출된 함수의 이름 변경과 관련하여 호출된 함수와 결합되어 있습니다.

```
caller()
    called()

called() // 이 이름을 변경하면 호출하는 코드도 변경해야 합니다.
    ... // 함수 본문 형식을 변경해도 호출하는 코드 변경할 필요가 없습니다.
```

하지만, 단순히 두 요소가 결합되어 있다고 말하는 것으로는 부족합니다. 여기서 두 번째 주석은 결합도의 중요한 뉘앙스를 강조합니다. 결합도가 의미를 지니려면, 어떤 변경 사항과 관련하여 결합되어 있는지 말해야 합니다. 두 요소가 결코 일어나지 않는 변화와 관련하여 결합되어 있다면, 그것은 우리가 관심을 가질 필요도 없습니다. 그러한 결합도는 언덕 꼭대기에 있는 바위가 굴러 내려와 마을을 무너뜨리는 일이 결코 벌어지지 않는 것과 같습니다.

결합도 분석은 단순히 프로그램의 소스 코드를 보는 것만으로는 부족합니다. 두 요소가 결합되어 있는지 여부를 판단하려면, 먼저 어떤 변경이 발생했거나 발생할 가능성이 있는지 알아야 합니다(테스트해 보려면 하나의 커밋에서 어떤 파일 쌍이 함께 나타나는 경향이 있는지 살펴보세요. 그런 파일들은 결합되어 있습니다.).

또한, 결합도는 소프트웨어 비용을 결정합니다. 결합도는 매우 근본적인 개념이기 때문에 저는 가능한 한 다양한 방식으로 표현하고 시각화합니다. 수학적으로 정의하면 다음과 같습니다.

```
coupled(E1, E2, Δ) ≡ ΔE1 ⇒ ΔE2
```

[그림 29-1]은 이를 이미지로 보여줍니다.

그림 29-1 이름 변경과 관련하여 호출된 함수는 호출하는 함수와 결합되었습니다.

만약 결합도가 두 요소만의 문제라면, 악몽이 아니었을 겁니다. 그보다는, 결합도를 주목하는 이유는 결합도가 가진 두 가지 성질 때문입니다.

일대다[1~N]

어떤 변경이 일어나면, 한 요소는 여러 요소와 결합이 일어납니다.

연쇄작용[Cascading]

일단 변경이 일어나면, 한 요소에서 다른 요소로 변경이 파급되고, 그 변경은 그 자체로 또 다른 변경을 촉발하고, 스스로도 변경을 촉발할 수 있습니다.

일대다 문제는 개발 도구를 이용하면 어느 정도 해결할 수도 있습니다. 함수 이름과 모든 호출 코드를 변경하는 리팩터링 자동화 기능이 있다면 한 번에 변경할 수 있습니다. 호출하는 곳이 하나든 1천 개든 비용은 같습니다(단, 1천 개의 호출 코드를 한꺼번에 변경하는 경우에는 가능한 한 빨리 변경 사항을 모두 실제 구동하는 시스템에 반영하는 것이 좋습니다).

연쇄적인 변경이 더 큰 문제입니다. 시리즈의 다음 책에서 더 자세히 살펴보겠지만, 변경 비용은 멱법칙 분포를 따릅니다. 바로 이러한 연쇄적인 변경 비용 때문에 멱법칙 분포가 만들어집니다. 소프트웨어 설계를 해서 연쇄적인 변경의 확률과 규모를 줄일 수 있습니다.

'결합도'라는 단어는 시간이 지남에 따라 처음의 의미를 잃어버리고, 시스템 내 요소 간의 아무 관계나 의미하게 되었습니다. '이 서비스는 저 서비스와 결합됩니다'라고 하면 어떻게 결합될까요? 어떤 변경과 관련하여? 이때는 한 서비스가 다른 서비스를 호출한다는 것을 아는 것만으로는 충분하지 않으며, 한 서비스를 변경하면 다른 서비스도 변경해야 한다는 것을 알아야 합니다.

메이어 페이지 존스^{Meilir Page-Jones}는 그의 저서『What Every Programmer Should Know About Object-Oriented Design』(Dorset House, 1995)에서 결합도를 설명할 때 '종속성^{connascence}'이라는 단어를 사용하기도 했지만, 정의가 정확히 같기 때문에 저는 그냥 '결합도'라고 하겠습니다.

크고 복잡한 시스템에서는 결합도가 미묘할 수 있습니다. 실제로 시스템이 '복잡하다'는 것은 변화가 예상치 못한 결과를 초래한다는 의미입니다. 메타가 페이스북 시절에 두 서비스가 동일한 물리적 랙[1]을 공유했던 사건이 기억납니다. 한 서비스가 백업 정책을 증분 백업에서 전체 백업으로 변경했습니다. 이 백업으로 인해 랙 상단에 위치한 네트워크 스위치가 포화 상태가 되어, 두 번째 서비스가 장애를 일으켰습니다. 서비스를 담당하는 두 팀이 서로를 알지 못했음에도 두 서비스는 백업 정책 변경과 관련하여 서로 연결되어 있었습니다.

"코드 정리가 먼저인가?"라는 질문에 답하는 데 있어서 결합도는 무엇을 의미할까요? 가끔 지저분한 변화를 바라보고 있을 때, 결합도 때문에 마음이 흔들릴 때가 있습니다. "내가 이것을 바꾸면, 저것들 모두를 바꾸어야 하잖아. 너무 끔찍해" 잠시 시간을 내어 코드 정리 카탈로그를 살펴보고, 어떤 것이 결합도를 줄일 수 있는지 살펴보세요.

결합도는 소프트웨어 비용을 좌우합니다. 바로 이어서, 제대로 하는 방법을 알아봅시다.

----

1   옮긴이_ 랙(rack)이란 서버나 통신 장비, 각종 계측기 따위의 시스템 구성 장비를 보관하고 시스템 구성에 필요한 환경을 만들어주는 제품을 의미합니다.

콘스탄틴의 등가성

젊은 프로그래머 시절, 소프트웨어 개발 비용의 70%가 유지보수에 들어간다는 끔찍한 보고를 들었던 기억이 납니다. 자그마치 70퍼센트입니다! 우리가 얼마나 형편없는 일을 하고 있기에 무언가를 만든 다음 그것을 계속 작동시키는 데 두 배로 비용을 지출해야 하는 것일까요?

소프트웨어를 머릿속에 떠올리면, 영원히 구동하는 기계처럼 한 번 만들고 나면, 영원히 변함없이 작동해야 하는 것으로 생각하지만, 실제로는 정반대이며, 또한 그래야만 합니다. 시스템의 미래 가치는 어제의 추측이 아닌 오늘의 현실에서 드러납니다.

결합도가 소프트웨어 개발에 영향을 미치는 방식이 정립되었으므로, 이제 결합도의 중요성을 이해할 차례입니다. 결합도와 응집도에 관한 최초의 연구인 『Structured Design』(Yourdon, 1975)에서 에드워드 요던과 래리 콘스탄틴은 소프트웨어 설계의 목표는 소프트웨어의 비용을 최소화하는 것이라고 가정했습니다(가치를 극대화하는 것도 목표이지만 이 부분은 나중에 다루겠습니다). 그렇다면 그 비용은 얼마일까요?

앞서 예를 든 70%라는 추정치는 실제로 너무 낮은 것으로 밝혀졌습니다. 창의력을 발휘한다면, 최종 개발 비용의 몇 퍼센트만 투자해도 가치를 창출하는 소프트웨어를 출시할 수 있습니다. 그렇게 하는 것이 모두에게 이익이 됩니다. 실제 사용으로부터 피드백을 빨리 얻을수록 중요하지 않은 행동에 소비하는 시간/비용/기회를 줄일 수 있습니다.

제가 '콘스탄틴의 등가성'이라고 이름 붙인 이 용어에 따르면, 소프트웨어 비용은 그것을 변경하는 데 드는 비용과 거의 같습니다. 물론 소프트웨어를 '변경'한다고 말하기까지 짧은 기간이 있긴 하지만, 누가 신경이나 쓰겠습니까? 그 기간은 경제적으로 그리 중요하지 않습니다. 이는 다음과 같이 나타낼 수 있습니다.

비용(소프트웨어) ~= 비용(변경)

이를 도식으로 생각해 보는 또 다른 방법도 있습니다(다음 데이터는 실제 데이터가 아니라 문제를 생각하는 또 다른 방법일 뿐입니다. 적절히 조정하세요.).

소프트웨어의 수명 주기에 따른 누적 비용을 그래프로 나타내면, 로그 함수 곡선과 같은 모양을 얻을 수 있습니다(그림 30-1). 출시 전 기간은 전체 시간 중에서 작은 부분을 차지하고, 총 비용 중에서도 작은 부분을 차지합니다.

그림 30-1 대부분의 비용이 변경으로 나타나는 누적 비용의 로그 함수

이때 우리가 변경 비용에 대해 무슨 말을 할 수 있을까요? 모든 변경이 같을까요? 그렇다면, 이렇게 질문하지 않았겠죠. 시스템 동작을 조금씩 변경해 갈 수 있습니다. 그런데 거기에 든 비용을 모두 합치면 출시 비용과 비슷해진다는 거죠. 그러던

어느 날 표면적으로는 이전의 모든 변경 사항과 유사한 변경 사항을 적용했을 뿐인데, 이번 것은 우리 눈앞에서 폭발하고 맙니다. 한 단위가 아니라 열 배, 백 배, 천 배로 비용이 증가합니다.

다음 그림에서 보듯이, 월별 비용(으로 예를 들면)은 낮은 수준에서 시작하여 빠르게 증가하다가, 다른 기회가 수익을 더 내면서, 점차 줄어듭니다(그림 30-2). 그렇다면 출시 후 비용 증가의 기울기가 훨씬 더 가파른 이유는 무엇일까요? 정말 더 많이 변경하는 걸까요? 네, 물론 그것도 있지만, 한편으로는 기존 시스템과의 마찰도 함께 일어나기 때문입니다. 이전 버전과의 호환성을 걱정해야 하죠. 실제 운영 서버의 안정성도 걱정해야 하고요. 또, 변경을 할 때마다 아무 관련도 없어 보이는 기능이 손상될까 봐 전전긍긍하게 됩니다.

단위 시간당 비용

그림 30-2 단위 시간당 비용은 서서히 증가하다가 가파르게 증가 후, 다시 감소합니다.

멱법칙 분포에 대해 알고 있다면, 여기서 무슨 일이 벌어지고 있는지 알 수 있을 것입니다(멱법칙 분포에 대해 모르신다면 제가 20년 동안 멱법칙에 집착했으니 잘 따라오시길 바랍니다). 멱법칙 분포의 한 가지 특징은 소수의 큰 '이상값'을 발생시키는 일이 매우 중요하다는 것입니다. 그것들을 합치면 훨씬 더 많은 '정상' 사건보다 더 큰 영향을 미칩니다. 가장 큰 다섯 폭풍이 작은 폭풍 만 개보다 더 큰 피해를 입히는 법이죠.

익숙한 이야기인가요? 가장 비용이 많이 드는 하나의 변경이 나머지 변경을 모두 합친 것보다 훨씬 더 많은 비용이 듭니다. 다시 말해, 변경 비용은 큰 변경들의 비용과 거의 같다는 뜻입니다.

$$비용(전체\ 변경) \sim= 비용(큰\ 변경들)$$

큰 변경들의 비용이 비싼 이유는 무엇일까요? 이 요소를 변경하려고 했더니 다른 두 요소를 변경해야 하고, 각각마다 또 다른 요소를 변경해야 하며... 그리고... 그리고... 그리고... 무엇이 변경을 '전파'할까요? 바로 결합도입니다. 따라서 소프트웨어 비용은 결합도와 거의 같습니다.

$$비용(큰\ 변경들) \sim= 결합도$$

이제 우리는 완전한 콘스탄틴의 등식을 얻었습니다.

$$비용(소프트웨어) \sim= 비용(전체\ 변경) \sim= 비용(큰\ 변경들) \sim= 결합도$$

혹은 소프트웨어 설계의 중요성을 강조하기 위해 이렇게 바꿀 수 있습니다.

$$비용(소프트웨어) \sim= 결합도$$

따라서 소프트웨어 비용을 줄이려면 결합도를 줄여야 합니다. 하지만 결합도를 줄이는 것은 공짜가 아니며 절충점을 피할 수 없습니다. 바로 이어서 탐구합시다.

결합도와 결합도 제거

왜 결합도를 완전히 제거하지 않을까요? 도대체 결합도는 왜 있어야 할까요?

결합도는 깜깜한 바닥에 놓인 레고 조각들처럼 직접 밟아보기 전까지는 잘 드러나지 않습니다. 동작 변경을 하려다가 곧 알아차리게 됩니다. '아, 이걸 바꾸면 저것도 바꿔야 하고, 또 저것도 바꿔야 할 텐데…' 또는 더 바쁜 상황이 되기도 하죠. 이걸 바꾸고 실행에 옮긴 후, 장애를 만나고 나서야 '아, 이것도 바꿔야 되겠구나'라고 깨닫기도 합니다. 직접 마주치기 전에는 무의식적으로 자신이 어떻게 결합도를 가정하고 있는지 스스로 알기 어렵습니다.

현금흐름할인은 일부 결합도를 설명합니다. 결합도가 생겨도 빠르게 코드를 작성하는 길을 택할 수도 있고, 반면에 결합도 없이 더 긴 시간과 더 많은 노력을 들여서 코드를 작성할 수도 있습니다. 앞 장에서 설명한 것과 같이 구현할 당시에는 결합도가 있어도 구현하는 것이 경제적으로 올바른 결정이었습니다(수익은 먼저, 비용은 나중에). 이제 그 '나중'이 왔습니다.

시스템에 결합도가 있어야 하는 또 다른 정당한 이유는 방금 전까지만 해도 문제가 되지 않았기 때문입니다. 마치 언덕 위에 자리 잡고 움직이지 않았던 바위가 지금이 굴러 내려오기에 좋은 때라고 판단하는 것과 같습니다. "이걸 다른 언어로 번역해야 할 줄 누가 알았겠어요?" 흠, 아무도 몰랐죠. 여러분이 코드를 변경하기 전까지는요.

결합도가 필요한 마지막 이유는 어떤 결합도는 피할 수 없기 때문입니다. 그 이유에 대해 '확신에 찬 단언'보다 더 좋은 논거가 없는 것 같아 안타깝습니다. 노력해볼게요.

결합도가 왜 있는지는 사실 중요하지 않습니다. 지금 결합도 비용을 지불할 것인지, 아니면 결합도를 없애는 비용을 지불할 것인지 여러분은 선택의 기로에 서게됩니다. "코드 정리가 먼저인가?"라는 질문에 대한 답이 바로 이 결정의 축소판입니다(물론 일부 엉망이 된 코드는 결합도로 만들어지지만요).

통신 프로토콜 예제를 통해 구체적으로 살펴보겠습니다. 간단한 구현 방법은 보내는 함수와 받는 함수가 있는 것입니다.

```
Sender>>send()
    writeField1()
    writeField2()

Receiver>>receive()
    readField1()
    readField2()
```

두 함수 사이에는 결합도가 있습니다. 하나의 함수를 변경하면 다른 함수도 변경해야 합니다. 그런 다음 변경 사항을 완벽하게 동기화하여 배포하는 것에 대해 걱정해야 합니다.

이러한 함수를 100번째 변경할 때쯤이면, 높은 확률로 여러분은 과도하게 주의한상태이므로, 코드를 작성하는 일에 지쳐 있을 것입니다. 인터페이스로 쓰일 언어를 정의하게 되죠.

```
format = [
    {field: "1", type: "integer"},
    {field: "2", type: "string"}
]

Sender>>send()
    writeFields(format)

Receiver>>receive()
    readFields(format)
```

뽕! 결합도가 사라졌습니다. 이제 한 곳에서 format을 변경할 수 있습니다. send()
와 receive()를 동시에 변경할 필요가 없어졌습니다.

하지만 이렇게 한다고 결합도가 완전히 '사라진' 것은 아닙니다. 예, 물론 지금 세
번째 필드를 추가하는 따위의 변경을 한 곳에서 할 수 있습니다. 하지만 Sender
내부 깊은 곳에서는, 여전히 세 번째 필드를 계산해야 합니다. 이 작업을 수행
하기 전까지는 receive 함수에서 해당 필드를 읽고 사용할 수 없습니다. 따라
서 Sender와 Receiver는 여전히 결합되어 있으며, 새 필드를 사용하기 위해
Receiver를 변경해야 하는 경우 Sender도 변경해야 합니다. 지금 우리가 한 것
은, 구현 순서에 대해 더 많은 옵션을 제공한 것입니다.

제 믿음 중에서, 증명하거나 적절하게 설명할 수 없는 것이 하나 있습니다. 한 종
류의 코드 변경에 대한 결합도를 줄일수록 다른 종류의 코드 변경에 대한 결합도가 커
진다는 것입니다. 이것이 의미하는 실질적인 의미는 (여러분의 직관과 일치한다
면) 모든 결합을 다 색출하듯 없애려고 애쓰지 말아야 한다는 것입니다. 그렇게
해서 만들어진 결합도는 그만한 가치가 없습니다.

그렇다면 대체로 절충점을 찾을 수 있는 공간이 남게 됩니다(그림 31-1).

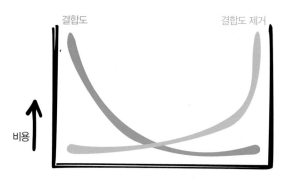

그림 31-1 결합도에 따르는 비용과 결합도 제거 비용의 상충 관계

이 그림은 결합도와 결합도 제거의 정확한 비용을 미리 알 수 없다는 점에서 매우 단순화한 것입니다. 이러한 비용은 모두 시간이 지남에 따라 발생하며, 이로 인해 할인된 현금흐름이 발생합니다. 또한 결합도 제거는 불확실하고 시간이 지남에 따라 가치가 변하는 옵션을 만들어냅니다.

기본적인 결정 공간은 여전히 남아 있습니다. 결합도에 따른 비용을 지불할 수도 있고, 결합도 제거 비용을 지불하고 이점을 얻을 수도 있습니다. 그리고 이 그래프의 어딘가에 위치할 수 있습니다. 소프트웨어 설계가 어려운 것은 당연합니다. 그리고 대인 관계에 대한 부분은 이 시리즈의 다음 책에서 다루도록 하겠습니다.

응집도

결합된 요소들은 둘을 포함하는 같은 요소의 하위 요소여야 합니다. 이것이 응집도가 내포하는 첫 번째 의미입니다. 밭에 거름을 주는 일에 비유하자면, 모든 거름을 삽으로 퍼서 한 더미로 담는 것과 같습니다. 응집도의 두 번째 의미는 거름이 아닌 이물질(결합되지 않은 요소)은 이 더미가 아닌 다른 곳으로 이동해야 한다는 것입니다.

예를 들어 10개의 함수가 포함된 모듈이 있다고 가정해 보겠습니다. 그중 3개의 함수가 결합되어 있습니다. 나머지 7개는 어디로 갈까요? 두 가지 선택이 가능합니다(그림 32-1).

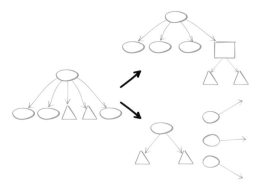

그림 32-1 응집도가 없는 요소를 개선하기 위해 (위) 응집도가 있는 하위 요소를 추출하거나 (아래) 결합되지 않은 하위 요소를 다른 곳으로 보내기.

첫 번째 방안은 결합된 요소를 자체 하위 요소로 묶는 것입니다. 이 방안으로 세 가지 함수만 포함된 하위 모듈을 만들 수 있습니다. 이 하위 모듈은 요소들이 결합되어 있기 때문에 응집도가 있습니다. 원래 모듈은 이제 결합된 요소가 하나도 없기 때문에 응집도가 떨어질 수 있지만, 이전보다 더 나빠지지는 않을 것입니다.

도우미 함수를 추출하는 것이 일종의 '응집도가 있는 하위 요소 추출' 접근 방식입니다. 도우미 함수에 포함된 코드를 함께 변경해야 하는 경우, 도우미 함수는 응집도가 있으며, 응집도에서 오는 모든 이점을 가지고 있습니다. 응집도가 있으면, 분석과 변경이 쉽고, 우발적인 동작 변경에 대한 가능성이 줄어듭니다.

두 번째 방안은 결합되지 않은 요소를 가져와 다른 곳에 배치하는 것입니다. 어디로요? 바로 여기서 여러분이 소프트웨어 설계자가 되는 거죠. 이 함수들은 무엇과 결합도가 있을까요? 함수의 형제들을 찾아 더 가깝게 이동하세요. 서로 결합되어 있나요? 하위 모듈을 하나 만들어 그 안에 넣으세요.

하지만 즉흥적으로 시도하지는 마세요. 무엇이 무엇과 결합되어 있는지에 대한 불완전하고 변화하는 정보를 가지고 작업하면 안 됩니다. 모든 것을 급격하게 재배치하지 마세요. 한 번에 한 요소씩 이동하세요. 다음에 코드를 볼 사람을 위해 코드를 더 깔끔하게 정리하세요. 모두가 스카우트 규칙[1]('찾았을 때보다 더 나은 상태로 남겨두라')을 따른다면, 시간이 지날수록 코드가 더 살기 좋은 코드가 될 것입니다.

---

1 옮긴이_ 스카우트의 규칙은 '찾았을 때보다 더 나은 상태로 남겨두라'입니다. 이는 아이들에게 야외 활동을 즐기도록 훈련시킨 보이스카우트에서 유래한 것입니다. 스카우트 대원들은 하이킹을 할 때 발견한 쓰레기는 모두 챙겨서 가져갔습니다.

결론

이제 책의 제목이기도 한 "코드 정리가 먼저인가?"라는 질문에 답할 준비가 되셨나요? 그래도 다시 한번 반복합니다. 매번 조금씩 다르지만, 매번 다음 네 가지 힘에 의해 영향을 받습니다.

- 비용: 코드를 정리하면 비용이 줄까요? 아니면 나중에 하는 편이 나을까요? 아니면, 줄일 가능성이 있을까요?
- 수익: 코드를 정리하면 수익이 더 커질까요? 혹은 더 빨리 발생하거나 커질 가능성이 있나요?
- 결합도: 코드를 정리하면 변경에 필요한 요소의 수가 줄어드나요?
- 응집도: 코드를 정리하면 변경을 더 작고 좁은 범위로 집중시켜 더 적은 수의 요소만 다룰 수 있을까요?

하지만, 가장 중요한 것은 바로 여러분입니다. 코드를 정리하면 평화, 만족, 기쁨을 느끼면서 프로그래밍을 할 수 있을까요? 그럴 수도 있습니다. 이것이 중요한 이유는 여러분이 최상의 상태에서 주체적으로 일할 때, 더 나은 프로그래머가 될 수 있기 때문입니다. 항상 시간에 쫓기며 고치기 힘든 코드를 변경하느라 고통 속에 있다면 최상의 상태가 될 수 없습니다.

코드 정리에 너무 집착하지 마세요. 코드 정리를 하면서 자신의 삶과 업무가 더 나아질 수 있다는 사실을 깨닫고 나면, 때때로 들뜬 기분에 휩싸여 코드 정리가 제일 우선이라고 생각할 수 있습니다. 일반적으로 코드를 다룰 때 기능 변경에 대해서라면 자신이 옳다고 생각하는 일을 해도 사람들이 불만을 가질 수 있는 위험과 불확실성을 지닙니다. 반면에 코드 정리에 영향을 받을 사람은 바로 나 자신이기 때문에 만족할 가능성이 매우 높습니다.

결합도는 하나의 코드 정리 작업이 다음 코드 정리 작업으로 이어지게 합니다. 코드 정리는 소프트웨어 설계의 프링글스입니다. 마치 프링글스 뚜껑을 열면 멈출 수 없는 것처럼 한 가지 코드 정리를 하고 나면 다음 정리를 하고 싶은 충동이 생기겠지만, 억제해야 합니다. 또한, 코드 정리는 다음 동작 변경을 가능하게 합니다. 그러나 변경을 기다리는 다른 누군가가 기다리다 폭발하지 않도록 코드 정리를 나중에 해야 할 때도 있습니다.

그리고, 스스로 코드 정리 연습을 하면서 여러분과 같은 다른 사람들을 대신하여 설계할 준비를 하고 있다는 사실을 명심하세요. 이것이 바로 소프트웨어 설계를 개발의 평범하고 균형 잡힌 부분으로 만드는 과정입니다.

혼자서 프로그래밍하는 경우는 거의 없습니다. 설계 요소 간에 결합도가 있는 것처럼 우리는 서로 얽혀 있습니다. 제가 변경하면 여러 사람에게 영향을 끼치고, 여러분이 변경하면 저에게 영향을 끼칠 수 있습니다.

시리즈의 첫 번째 책인 이 책은 개인에 의한, 개인을 위한 소프트웨어 설계에 대해 다루었습니다. 물론 동료들도 깔끔한 코드의 혜택을 받을 수 있겠지만, 이 책의 초점은 여러분에게 맞춰져 있습니다. 여러분이 더 쉽게 작업하는 데 도움이 된다면 투자할 가치가 있을까요? 아마도요.

누가?	언제?	무엇을?	어떻게?	왜?
여러분	몇 분에서 몇 시간	코드 정리	구조나 동작 변경[1]	결합도와 응집도

이 시리즈의 다음 책에서는 시스템을 직접 바꿀 수 있는 사람들, 즉 코드를 변경하는 사람들 사이의 관계를 살펴봅니다. 우리는 궁극적인 관계 문제, 즉 변화하는 사람들과 변화가 실현되기를 기다리는 사람들 사이의 관계를 대비하기 전에 이러한 관계를 건강하게 만들어야 합니다. 소프트웨어 설계는 이러한 관계에 영양을 공급하거나 반대로 관계를 손상시킬 수 있습니다.

누가?	언제?	무엇을?	어떻게?	왜?
여러분	몇 분에서 몇 시간	코드 정리	구조나 동작 변경	결합도와 응집도
여러분과 동료 프로그래머	몇 일에서 몇 주	리팩터링	주간 단위 계획	멱법칙

너무 멀리 내다보고 계획하지 않는 것이 좋지만, 여러분이 배우고 있는 이 훌륭한 기술의 궁극적인 보상은 자신이 다른 사람들과 더 잘 지내는 것입니다. 비즈니스 지향적인 사람들과 기술 지향적인 사람들 사이의 관계는 가장 어려운 관계이지만, 가장 중요하고 잠재적으로 가장 보람 있는 관계이기도 합니다. 소프트웨어 설계를 일상적인 비즈니스와 전략 계획의 일부로 삼는다면 비즈니스와 기술 사이의 균열을 치유하는 데 기여할 수 있습니다.

누가?	언제?	무엇을?	어떻게?	왜?
여러분	몇 분에서 몇 시간	코드 정리	구조나 동작 변경	결합도와 응집도
여러분과 동료 프로그래머	몇 일에서 몇 주	리팩터링	주간 단위 계획	멱법칙
모든 이해관계자들	몇 달에서 몇 년	아키텍처 진화	동적 균형	?

---

1 옮긴이_ 몇 분에서 몇 시간 이내에 할 수 있는 한 가지의 작은 변경

소프트웨어 설계가 인간관계 속에서 벌어지는 진솔한 활동이 될 수 있도록 하자는 것이 바로 이러한 취지입니다. 그래서 시작하려면…

코드 정리를 먼저 하실 건가요? 아마도요. 바로 그것입니다. 예, 여러분을 위해서 충분히 그만한 가치가 있습니다.

참고 문헌

참고 문헌

『Notes on the Synthesis of Form』크리스토퍼 알렉산더(지은이), Harvard University Press, 1964년

패턴을 소개한 책입니다. 기본 아이디어는 서로 다른 설계 결정이 부딪히는 제약 조건 중 일부를 해결하고 향후 결정에 의해 해결될 (더 작은) 제약 조건을 생성한다는 것입니다. 이러한 제약 조건의 구성이 반복되므로 '패턴'이라는 단어가 사용되었습니다.

『The Timeless Way of Building』크리스토퍼 알렉산더(지은이), Oxford University Press, 1979년

이 책을 강력히 추천합니다. 이 책은 설계자와 설계 대상 간의 관계를 다시 상상하는 것에서 시작합니다. 누가 실행 권한을 가져야 할까요? 그런 다음 패턴과 새로운 구성 기법을 적용하여 대부분의 설계 결정을 합리적이라고 생각되는 수준 이상으로 연기합니다 (이제 이것이 익숙하게 들리나요?).

『Branches: Nature's Patterns』, 『Flow: Nature's Patterns』, 『Shape: Nature's Patterns』필립 볼(지은이), Oxford University Press, 2011년

지적 인공물을 설계하는 설계자로서 우리는 우리가 원하는 것은 무엇이든 설계할 수 있다고 생각하는 경향이 있습니다. 하지만 실제론 그렇지 않습니다. 우리의 작업 역시, 자연 법칙의 지배를 받습니다(이에 대한 자세한 내용은 이 책의 다음 시리즈인 '경험적 소프트웨어 설계' 주제의 책에서 확인할 수 있습니다). 이 3부작은 자연계의 설계(디자인)에서 얻은 호기심의 캐비닛입니다.

『Smalltalk Best Practice Patterns』 켄트 벡(지은이), Pearson, 1996년, 『켄트 벡의 구현 패턴』
켄트 벡(지은이), 전동환(옮긴이), 에이콘 출판사, 2008년

이 두 권의 책은 이 책에서 다룬 규모의 설계 다룹니다. "다른 사람과 소통하고 싶다면
어떻게 코딩할 것인가?"라는 질문에 대한 해답을 제시합니다.

『레거시 코드 활용 전략』 마이클 C. 페더스(지은이), 이정문, 심윤보(옮긴이), 에이콘 출판사, 2018년
레거시 코드와 사용자 환경에 배포되어 사용 중이라는 제약에도 설계를 지속할 수 있는
방법을 제시합니다.

『리팩터링(2판)』 마틴 파울러(지은이), 개앞맵시, 남기혁(옮긴이), 한빛미디어, 2020년
기존 설계를 개선하는 방법에 대한 편람입니다.

『유연한 소프트웨어를 만드는 설계 원칙』 크리스 핸슨, 제럴드 제이 서스먼(지은이), 류광(옮긴이), 한
빛미디어, 2022년
소규모 설계 접근 방식을 통해 지속적인 변화를 지원합니다.

『Refactoring at Scale』 모드 르메어(지은이), Oreilly, 2020년
이 책으로 새로운 기능, 더 나은 구조, 안정적인 사용자 서비스 제공 필요성을 포함한
종종 상충되는 제약들을 해결할 수 있습니다.

『Permaculture One』 빌 몰리슨, 데이비드 홈그렌(지은이), International Tree Crop Institute
USA, 1981년

저는 설계를 '요소들을 유익하게 관계 맺는 일'라고 정의하면서 이 책에서 배울 수 있는
퍼머컬처^{Permaculture}의 정의를 다시 한 번 강조합니다. 퍼머컬처는 자연 생태계의 회복력
을 유지하면서 가치를 창출하는 생태계를 설계하는 분야입니다.

『Composite/structured design』 글렌포드 마이어스(지은이), Van Nostrand Reinhold,
1978년
정보 은닉에 대한 초기 접근 방식 (서로에 대해 가능한 한 적게 가정하는 모듈의 함수)

을 다룹니다.

『도널드 노먼의 디자인과 인간 심리』 도널드 노먼(지은이), 박창호(옮긴이), 학지사, 2016년
이 책을 읽으면 문을 밀지 않고 당긴 것에 대해 다시는 자책하지 않게 될 것입니다. 또한
저자가 설명하는 '어포던스[affordances]'는 소프트웨어 설계에도 적용할 수 있습니다.

『쏙쏙 들어오는 함수형 코딩』 에릭 노먼드(지은이), 김은민(옮긴이), 제이펍, 2022년
어떤 사람들은 '함수 대 객체'라고 생각합니다. 저는 '객체 안의 함수'가 더 가치 있는 관
점이라는 에릭[Eric]의 의견에 동의합니다. 이 책은 함수형 프로그래밍을 적용하여 변경의
비용을 주로 다루고 있습니다.

『A Philosophy of Software Design, 2E』 존 아우스터하우트(지은이), Yaknyam Press , 2021
년
이 책은 제가 글을 쓸 수 있게 해 준 책입니다. 설계를 더 좋게 만드는 것에 대한 존[John]
의 요점은 잘 이해하지만, 항상 코드를 최대한 깔끔하게 유지하라는 것이 다소 독단적
으로 제시되어 있습니다. 이 책의 제목, 'Tidy First?'의 물음표는 바로 이에 대한 답변입
니다.

『What Every Programmer Should Know About Object-Oriented Design』 메이어 페이지
존스(지은이), Dorset House, 1995년)
결합도를 사물의 세계로 번역한 것입니다. 이 책에서 다룬 '결합도'와 '종속성'의 정의가
동일하므로 저는 '결합도'를 사용합니다.

『Software Fundamentals: Collected Papers』 다니엘 M. 호프만(지은이), Addison-Wesley
Professional, 2001년
파르나스[Parnas] 교수는 거의 모든 사람보다 먼저 설계에 대해 알고 있었습니다. 지금도 그
의 사고와 어휘는 우리의 대화에 영향을 미칩니다.

『Software Design Decoded』 마리안 페트레, 안드레 반 데르 호엑의 책(지은이), The MIT Press, 2016년

전문적인 설계자가 적용할 수 있는 활동을 다루는 책입니다. 짧고 쉽게 접근할 수 있는 책이기 때문에 특정 활동에 대한 자세한 설명은 거의 없지만, "글쎄요, 저는 저걸 해본 적이 없으니 한 번 해 봐야겠어요" 같은 관심 유발을 목적으로는 좋습니다.

『Code That Fits in Your Head』 마크 시만(지은이), Addison-Wesley Professional, 2021년

인간의 뇌에는 사용 설명서가 없지만, 프로그래밍 두뇌에는 있습니다. 이 책은 프로그래밍 두뇌를 위한 사용 설명서에 가깝습니다.

『프로그래밍 심리학』 제럴드 M. 와인버그(지은이), 조상민(옮긴이), 인사이트, 2014년

프로그래머를 인간성을 지닌 존재로 간주한 급진적인 접근 방식을 개척한 책입니다.

『Techniques of Program Structure and Design』 에드워드 요던(지은이), Prentice Hall, 1975년

현 시대의 소프트웨어 설계에 대한 초기 설명은 이 책에서 소개되었습니다.

『Structured Design』 에드워드 요던, 래리 콘스탄틴(지은이), Yourdon, 1975년

소프트웨어 설계의 고전입니다. 소프트웨어 설계자를 위한 뉴턴의 법칙과 다름 없습니다. 이 책의 모든 내용은 이 책에서 다룬 내용을 다시 정리한 것입니다.